通常の学級でやさしい学び支援　3巻

読み書きが苦手な子どもへの〈漢字〉支援ワーク

1～3年編

竹田契一 監修　　村井敏宏 著

◇読めた！書けた！漢字って簡単でおもしろい！

◇漢字の特徴をとらえた新しいアプローチ！

◇漢字の世界が広がる１～３年生のワークプリント集

明治図書

はじめに

知的な遅れがないにもかかわらず、どうしても読み書きがクラスのレベルについていけない子どもたちがたくさんいます。何回教えても、すぐ忘れる、覚え方がわからない、頭にその文字が浮かばない、たどり読みが直らない、簡単な漢字なのに筆順を間違える。国語の時間はゆううつ。早く終わらないかなと時計が気になる。国語が苦手なので、算数の文章題が苦手になる。こういう子どもたちのために書かれたつまずき支援ワークがこの本の特徴です。読み書きが苦手な子どもでも、低学年のうちにつまずきの原因を明らかにし、子どもの理解レベルに合わせた教材を使えれば独学も可能となります。

第3巻は、小学校1年生から3年生に習う漢字をすべて網羅し、漢字の特徴を踏まえて考えられた、今までにないタイプの漢字学習支援ワークです。

1年生は80字、2年生は160字、3年生は200字の漢字を学習しますが、形の複雑さ、音読み・訓読みの難しさ、熟語の難しさがあり挫折しやすいです。

クラスで習った漢字を形や意味のつながりで思い出す練習も入っています。繰り返し楽しくわくわくしながら取り組むことができれば最高です。

LDの子どもたちは、二つの部首の組み合わせでできている漢字をよく混乱します。ユニークな教え方として、漢字の構成を歌にし、唱えながら書く練習が効果をあげる場合があります。

空間認知が弱い子どもたちが複雑な漢字を覚えるのは並大抵なことではありません。漢字の構成要素を考え、部首を手がかりとして覚えていく方法なども使われます。ただ書くだけではなく、国語能力全体のかさ上げを考え、一番大切な文章の読解力につながるように語いを増やしていく工夫も必要です。

村井先生の読み書き支援ワークは、普段指導されていることばの教室での試行錯誤を通してしっかりした実績につなげ、更に通常の学級の先生方の全面協力のもと発達障害の児童生徒のみならず、どの子どもにも使える易しい指導プログラムとなっています。

通常の学級の教師にとっても、保護者にとっても一人一人のつまずきをしっかり理解して行う支援ワークは子どもたちにとってわくわくする楽しい内容となります。ぜひ活用してください。

監修者　竹田契一

Column

＊教材プリントは、自由にコピーして教室でお使いください。
＊学年に応じてA４サイズに拡大して使用することをおすすめします。

第1章　漢字支援ワーク【1年生】

1年生の「漢字支援ワーク」活用のために

1年生の漢字について

　1年生では、80字の漢字を2学期頃から学習し始めます。それまで習っていた「かな」と「漢字」では、大きく違う点がいくつかあります。

　その一つが、形が複雑であることです。1年生の漢字は簡単なものが多いですが、「森」のように十二画のものもあります。線の数や向き、突き出る・突き出ないのような細かい所にも注意が必要です。また、画数が増えると筆順を覚えるのも難しくなります。

　もう一つの大きな違いが読み方です。これまで「かな」の一文字一音に慣れていたために、「男・女・左・林」のように三音で読む漢字には違和感を覚えます。「男こ・女な」などと変な送り仮名を付けてしまうこともあります。音読み・訓読みの複数の読み方があることも、漢字を覚えていく難しさになります。

　また、表音文字の「かな」と違って、表意文字の「漢字」は一文字で意味を持つ文字です。意味を正しくとらえないで漢字を書くと「火がしずむ（日）・立うえ（田）・木もち（気）・火だん（花）」のような間違いも起こってきます。

　漢字を覚えていくときには、「形」「音（読み）」「意味」の三つを同時に覚えていけるよう指導することが大切です。

1年生漢字ワーク①「ぴったりかんじ」

　絵を見て、文に合う「ぴったり」の漢字を書いていくワークです。

　1年生で習う漢字、80文字がすべて出てきます。□に入る漢字の読みはルビが付けてありますが、文をしっかり読んで、意味に合う漢字が書けるように気を付けさせてください。文の中では、1年生で習う漢字は漢字表記にしてあります。習っていない漢字でも読めるものもあると思います。わからない場合には、ルビをふってあげ、漢字を書いた後にもう一度、文の読みを練習させるとよいでしょう。

1年生漢字ワーク②「かんじたしざん」

　二つの部首を組み合わせてできる漢字を考えさせるワークです。

　部首が横に並ぶ場合、縦に並ぶ場合、重なる場合がありますが、重なる場合がやや難しくなります。「木の下に林で森」というように、部首の名前や位置を唱えながら書く練習をすると、形に注意を向けながら書くことができ、漢字が覚えやすくなります。

　できる漢字がわかったら、その漢字を使った熟語やことばを考えて書

1年生漢字ワーク③「よみかたを　かんがえて」

1年生漢字ワーク④「かんじをいれよう」

かせます。

短文の中の□に同じ漢字を書き入れて、その読み方を書いていくワークです。

漢字には音読み、訓読みの複数の読み方があり、また熟語になると読み方が変わるものもあります。ワークの漢字は一から十の漢数字と、月から土の曜日の漢字を選んであります。漢数字は通常の「いち・に…」の音読みと、数えるときに使う「ひとつ・ふたつ…」の訓読みがあります。また日付の「ついたち・ふつか」などは、音読み・訓読みとも対応しない特別な読み方になる場合もあります。書いた後に読みの練習を入れ、体感的に読みを覚えていけるようにするとよいでしょう。

文を読み、文脈から漢字を推測して書いていくワークです。

漢字の読み方は文章の流れで決まってきます。そのため、文章を読む力が漢字の読みの力につながってきます。

ワークの左端には、□に入る漢字をヒントとして載せています。はじめはヒントの部分を折って、見ないで書かせましょう。また、漢字が苦手な子にはヒントを見せて選んで書く練習をするなど、子どものつまずきに合わせて使い分けてください。

1

1年

<1>

ぴったりかんじ①

名まえ

＊ぴったりのかんじをかこう！

犬が□《いっ》ぴき。	おにぎり□《に》こ。	□《さん》びきの子ぶた。	りんごが□《よん》こ。	子どもが□《ご》人。	□《ろっ》本のえんぴつ。	□《なな》いろのにじ。	たこの足は□《はっ》本。

出来栄《できば》えは？↓

完璧《かんぺき》

惜《お》しい

残念《ざんねん》

2

1年

<1>

ぴったりかんじ②

名まえ

＊ぴったりのかんじをかこう！

みかんが□《きゅう》こ。

□《じゅう》までかぞえる。

ぞうは□《おお》きい。

□《いぬ》のさんぽ。

女の□《ひと》、男の□《ひと》。

手がみを□《い》れる。

つくえの□《うえ》の本。

木の□《した》をさがす。

出来栄《できば》えは？
↓

完璧《かんぺき》

惜《お》しい

残念《ざんねん》

3

1年

＜1＞

ぴったりかんじ③

名まえ

＊ぴったりのかんじをかこう！

□《き》の下でまつ。

□《はやし》でかくれんぼ。

□《もり》でまよう。

□《ちい》さい女の子。

お□《つき》さまを見る。

□《ひ》をもやす。

□《すい》どうの□《みず》をのむ。

お□《かね》をはらう。

出来栄《できば》えは？

↓

完璧《かんぺき》

惜《お》しい

残念《ざんねん》

4
1年 <1>

ぴったりかんじ④

名まえ

＊ぴったりのかんじをかこう！

□《つち》からめを出す。

□《ひ》がのぼる。

□《やま》にのぼる。

□《かわ》でさかなつり。

□《くち》を大きくあける。

□《め》をぱちくりする。

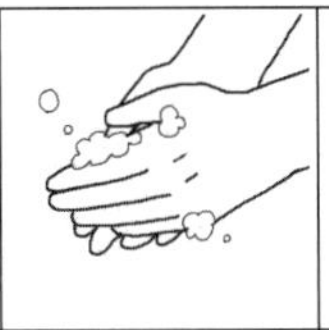
□《て》をあらう。

右□《あし》を上げる。

出来栄《できば》えは？
↓
完璧《かんぺき》
惜《お》しい
残念《ざんねん》

5

1年

<1>

ぴったりかんじ⑤

名まえ

＊ぴったりのかんじをかこう！

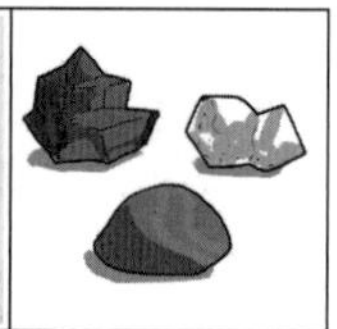

□《いし》ころをならべる。

□《かい》がらをみつけた。

□《みぎ》手を上げる。

□《ひだり》ききの男の子。

□《ちから》もちだぞ。

□《おう》さまだぞ。

しゃぼん□《だま》とんだ。

□《た》うえをする。

出来栄《できば》えは？

↓

完璧《かんぺき》

惜《お》しい

残念《ざんねん》

6

1年

<1>

ぴったりかんじ⑥

名まえ

＊ぴったりのかんじをかこう！

じどう□《しゃ》はしる。

青い□《そら》、白いくも。

□《こ》ねこが生まれる。

げん気な□《おとこ》の子。

かわいい□《おんな》の子。

□《てん》しのはね。

ほしを□《み》る。

大つぶの□《あめ》がふる。

出来栄《できば》えは？
↓

完璧《かんぺき》

惜《お》しい

残念《ざんねん》

7

1年
<1>

ぴったりかんじ⑦

名まえ

＊ぴったりのかんじをかこう！

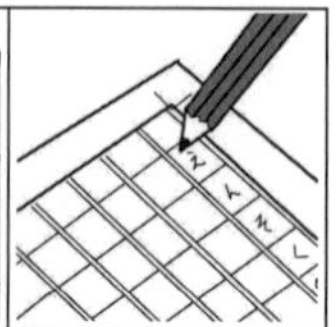

さく□《ぶん》をかく。

□《たけ》やぶの中。

□《がっ》校のつくえ。

□《むし》とりにいく。

ふでで□《じ》をかく。

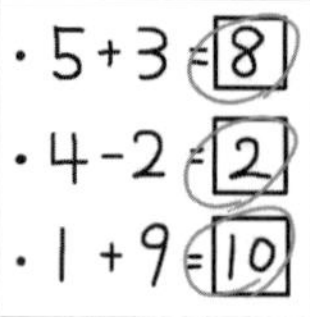

□《ただ》しいこたえ。

すきな□《ほん》をよむ。

あさ□《はや》くおきる。

出来栄《できば》えは？
↓
完璧《かんぺき》
惜《お》しい
残念《ざんねん》

8

1年

<1>

ぴったりかんじ⑧

名まえ

＊ぴったりのかんじをかこう！

そとに□《で》る。

まん□《なか》に立つ。

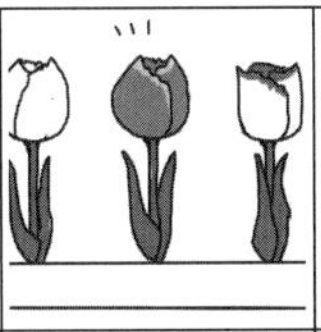
□《か》だんに□《はな》がさく。

木の下で□《やす》む。

□《あお》い空がひろがる。

□《あか》ちゃんをだっこ。

□《しろ》いとり

□《な》ふだをつける。

出来栄《できば》えは？

↓

完璧《かんぺき》

惜《お》しい

残念《ざんねん》

9

1年

<1>

ぴったりかんじ⑨

名まえ

＊ぴったりのかんじをかこう！

うつくしい□《ゆう》やけ。

□《まち》をあるく。

□《ひゃく》てんとった。

□《せん》円さつ

子うまが□《う》まれる。

□《みみ》をすます。

ぼくは一□《ねん》生。

まっすぐ□《た》つ。

出来栄《できば》えは？

↓

完璧《かんぺき》

惜《お》しい

残念《ざんねん》

10

1年
＜1＞

ぴったりかんじ⑩

名まえ

＊ぴったりのかんじをかこう！

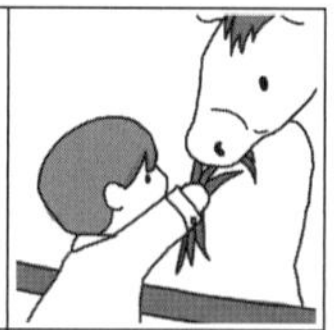

うまに□《くさ》をやる。

げん□《き》いっぱい。

男の□《せん》生。

け□《いと》のセーター。

山あいの□《むら》。

□《おと》をならす。

百□《えん》玉

□《こう》ちょう先生

出来栄《できば》えは？
↓

完璧《かんぺき》

惜《お》しい

残念《ざんねん》

11

1年
<2>

かんじたしざん①

名まえ

＊かんじのたしざんをしよう！

1. イ ＋ 木 ＝ □ ↓ ↓ □

2. タ ＋ 口 ＝ □ ↓ ↓ □

3. 口 ＋ ｜ ＝ □ ↓ ↓ □

4. ナ ＋ 口 ＝ □ ↓ ↓ □

5. 宀 ＋ 子 ＝ □ ↓ ↓ □

6. 𭕄 ＋ 子 ＝ □ ↓ ↓ □

＊こたえのかんじでことばをつくろう。

出来栄《できば》えは？ ↓

完璧《かんぺき》

惜《お》しい

残念《ざんねん》

12

1年 <2>

かんじたしざん②

名まえ

＊かんじのたしざんをしよう！

1. ナ＋工＝□ ↓ ↓ □

2. 日＋十＝□ ↓ ↓ □

3. 艹＋早＝□ ↓ ↓ □

4. 木＋寸＝□ ↓ ↓ □

5. 木＋木＝□ ↓ ↓ □

6. 王＋丶＝□ ↓ ↓ □

＊こたえのかんじで
ことばをつくろう。

出来栄《できば》えは？
↓

完璧《かんぺき》

惜《お》しい

残念《ざんねん》

13

1年

＜2＞

かんじたしざん③

名まえ

＊かんじのたしざんをしよう！

1. 田＋力＝□→→□

2. 田＋丁＝□→→□

3. ノ＋日＝□→→□

4. 一＋白＝□→→□

5. 中＋乛＝□→→□

6. 目＋儿＝□→→□

＊こたえのかんじでことばをつくろう。

出来栄《できば》えは？

↓

完璧《かんぺき》

惜《お》しい

残念《ざんねん》

14

1年

＜2＞

かんじたしざん④

名まえ

＊かんじのたしざんをしよう！

1. 目 ＋ 八 ＝ □ ↓ ↓ □
2. 龶 ＋ 月 ＝ □ ↓ ↓ □
3. 立 ＋ 日 ＝ □ ↓ ↓ □
4. 木 ＋ 林 ＝ □ ↓ ↓ □
5. 艹 ＋ 化 ＝ □ ↓ ↓ □
6. 穴 ＋ 工 ＝ □ ↓ ↓ □

＊こたえのかんじで
ことばをつくろう。

出来栄《できば》えは？
↓

完璧《かんぺき》

惜《お》しい

残念《ざんねん》

15

1年 ＜3＞

よみかたをかんがえて⑦

名まえ

＊かんじとよみかたをかこう！

ひと ひと(つ) イチ イツ □	ふた ふた(つ) ニ □	み みっ(つ) サン □	よん・よ よっ(つ) シ □

ぼくが□（　）ばん。にんじん□（　）本。

□（　）月□（　）日　□（　）つぶのなみだ。

□（　）かいのへや。□（　）人であるく。

□（　）月□（　）日　□（　）つにきる。

□（　）びきの子ぶた。えんぴつ□（　）本。

□（　）月□（　）日　□（　）つもらう。

□（　）かいだて　□（　）人かぞく

□（　）月□（　）日　□（　）つあげる。

出来栄《できば》えは？
↓

完璧《かんぺき》

惜《お》しい

残念《ざんねん》

16

1年 <3>

よみかたをかんがえて②

名まえ

＊かんじとよみかたをかこう！

いつ / いっ（つ） □ ゴ	む / むっ（つ） □ ロク	なな / なな（つ） □ シチ	や / やっ（つ） □ ハチ
□（　）ばんめ　□（　）人グループ	□（　）じにおきる。　□（　）本のぼう。	□（　）ほしてんとう　□（　）人のこびと。	□（　）じにはじまる。　たこの足が□（　）本。
□（　）月□（　）日　□（　）つたべる。	□（　）月□（　）日　□（　）つかぞえる。	□（　）月□（　）日　□（　）つひろう。	□（　）月□（　）日　□（　）つみつける。

出来栄《できば》えは？
↓

完璧《かんぺき》

惜《お》しい

残念《ざんねん》

17

1年 <3>

よみかたをかんがえて③

名まえ

＊かんじとよみかたをかこう！

ここ　ここの(つ)　キュウ　ク

□じにねる。

□人のチーム。

□月□日

□つこころがる。

とお　ジュウ　ジッ

五□ふんかかる。

□かいとぶ。

□月□日

□までかぞえる。

つき　ゲツ　ガツ

□が出る。

お正□

□ようび

まん□を見る。

ひ　カ

□がもえる。

つよ□にする。

□ようび

□じがおきる。

出来栄《できば》えは？↓

完璧《かんぺき》

惜《お》しい

残念《ざんねん》

18

1年 ＜3＞

よみかたをかんがえて④

名まえ

*かんじとよみかたをかこう！

みず □ スイ	こき □ モク ボク	かね かな □ キン コン	つち □ ド ト

□（　）をのむ。

□（　）たまり

□（　）よう日

□（　）どうの□（　）。

□（　）をうえる。

□（　）かげで休む。

□（　）よう日

大□（　）をきる。

お□（　）をはらう。

□（　）づちでたたく。

□（　）よう日

□（　）メダルをとる。

□（　）を入れる。

□（　）をほる。

□（　）よう日

ねん□（　）あそび

出来《でき》栄《ばえ》えは？

↓

完璧《かんぺき》

惜《お》しい

残念《ざんねん》

19

1年
＜4＞

かんじをいれよう①

名まえ

＊文をよんで、ぴったりのかんじをいれよう。

・つくえの□に、りんごが 一つ のっている。

・つくえの□に、えんぴつを おとした。

・バスは、たくさんの□を のせて はしる。

・かん字の しゅくだいを□生に 見せる。

・きょうの 一じかんめは、プールに□る。

・五百□もらって、かいものを する。

・山の 上から、月が□る。

〈ヒント〉
・出 ・上 ・円 ・下 ・入 ・人 ・先

出来栄《できば》えは？ ↓

完璧《かんぺき》

惜《お》しい

残念《ざんねん》

20

1年

＜4＞

かんじをいれよう②

名まえ

＊文をよんで、ぴったりのかんじをいれよう。

・おとうさんは、とても□もちです。

・五百円玉が 二まいで、□円に なります。

・大きな□を あけて、うたを うたいました。

・きのうの□がた、かいものに いきました。

・アフリカゾウの 耳は、とても□きい。

・赤い スカートを はいた□の子。

・□さな ありを、虫めがねで 見る。

〈ヒント〉

・小 ・カ ・女 ・千 ・大 ・口 ・夕

出来栄《できば》えは？ ↓

完璧《かんぺき》

惜《お》しい

残念《ざんねん》

21

1年
＜4＞

かんじをいれよう③

名まえ

＊文をよんで、ぴったりのかんじをいれよう。

・たかい□の上に、ゆきが つもっている。

・はしの 下に□が ながれている。

・一□生は、ぜんいんで 五十人です。

・みんなで□を つないで、まるく なる。

・としょかんで、□を 二さつ かりました。

・かたちに□をつけて かきましょう。

・こうえんまで、□を さんぽに つれていく。

〈ヒント〉
・犬 ・山 ・気 ・川 ・本 ・年 ・手

出来栄《できば》えは？ ↓

完璧《かんぺき》

惜《お》しい

残念《ざんねん》

22

1年 ＜4＞

かんじをいれよう④

名まえ

＊文をよんで、ぴったりのかんじをいれよう。

・大きな おしろに □さまが、すんでいる。

・しいくごやの うさぎに 子どもが □まれた。

・□んぼで、おたまじゃくしを みつけた。

・きょうは、あさ 六じに □がさめた。

・川へ あそびに いって、□を ひろう。

・サッカーボールを □で おもいきり けった。

・きょうは、あさから □が ふっている。

〈ヒント〉

・雨 ・王 ・足 ・生 ・石 ・田 ・目

出来栄《できば》えは？ ↓

完璧《かんぺき》

惜《お》しい

残念《ざんねん》

解答　1年〈1〉　ぴったりかんじ

1

＊ぴったりのかんじをかこう！

犬が一《いっ》ぴき。

おにぎり二《に》こ。

三《さん》びきの子ぶた。

りんごが四《よん》こ。

子どもが五《ご》人。

六《ろっ》本のえんぴつ。

七《なな》いろのにじ。

たこの足は八《はっ》本。

2

＊ぴったりのかんじをかこう！

みかんが九《きゅう》こ。

十《じゅう》までかぞえる。

ぞうは大《おお》きい。

犬《いぬ》のさんぽ。

女の人《ひと》、男の人《ひと》。

手がみを入《い》れる。

つくえの上《うえ》の本。

木の下《した》をさがす。

3

＊ぴったりのかんじをかこう！

木《き》の下でまつ。

林《はやし》でかくれんぼ。

森《もり》でまよう。

小《ちい》さい女の子。

お月《つき》さまを見る。

火《ひ》をもやす。

水《すい》どうの水《みず》をのむ。

お金《かね》をはらう。

4

＊ぴったりのかんじをかこう！

土《つち》からめを出す。

日《ひ》がのぼる。

山《やま》にのぼる。

川《かわ》でさかなつり。

口《くち》を大きくあける。

目《め》をぱちくりする。

手《て》をあらう。

右足《あし》を上げる。

ポイント

文をしっかり読んで、意味に合う漢字が書けるように気を付けさせてください。文の中では、一年生で習う漢字は漢字表記にしてあります。わからない場合には、ルビをふってあげ、漢字を書いた後にもう一度、文の読みを練習させるとよいでしょう。

5

＊ぴったりのかんじをかこう！

石《いし》ころをならべる。
貝《かい》がらみつけた。
右《みぎ》手を上げる。
左《ひだり》ききの男の子。
力《ちから》もちだぞ。
王《おう》さまだぞ。
しゃぼん玉《だま》とんだ。
田《た》うえをする。

6

＊ぴったりのかんじをかこう！

じどう車《しゃ》はしる。
青い空《そら》、白いくも。
子《こ》ねこが生まれる。
げん気な男《おとこ》の子。
かわいい女《おんな》の子。
天《てん》しのはね。
ほしを見《み》る。
大つぶの雨《あめ》がふる。

7

＊ぴったりのかんじをかこう！

さく文《ぶん》をかく。
竹《たけ》やぶの中。
学《がっ》校のつくえ。
虫《むし》とりにいく。
ふでで字《じ》をかく。
正《ただ》しいこたえ。
すきな本《ほん》をよむ。
あさ早《はや》くおきる。

8

＊ぴったりのかんじをかこう！

そとに出《で》る。
まん中《なか》に立つ。
花《か》だんに花《はな》がさく。
木の下で休《やす》む。
青《あお》い空がひろがる。
赤《あか》ちゃんをだっこ。
白《しろ》いとり
名《な》ふだをつける。

ポイント

一年生の漢字で間違いやすいのは、同じ読み方の違う漢字を書く間違いです。「木と気、火と日、花と火、子と小、田と立」などの間違いがあります。

漢字を書くときに、文をしっかり読み、意味から漢字を考える習慣をつけさせましょう。

Column 1

かな文字と漢字

かな文字と漢字の一番の違いは、表音文字と表意文字の違いにあると言えます。

かな文字は日本語の音の単位である「モーラ」に基づいて作られています。「あ」は「a」という音を表しており、一文字では意味を持ちません。

一方、漢字は一文字で意味を持つ表意文字です。「石」は「石ころ」の意味を持ち、音も訓読みが意味に対応して「いし」となります。

かな文字の苦手さを持つ子どもでは、かなばかりで書かれた文よりも、漢字が混ざった文の方が読みやすいということも起こってきます。

また、書くときにカタカナの「ネ」や「ホ」がなかなか思い出せないのに、漢字の「木」や「犬」はスラスラ書ける、というようなこともあります。

読み書きが苦手な子どもには、苦手なことで何回も失敗するよりも、得意なこと・わかることが認められて自信をつけていくことが大切です。

カタカナや漢字の学習の始まる1年生の二学期は、読み書きの学習にとってとても大切な時期だと言えます。

解答　1年〈1〉　ぴったりかんじ

ポイント

漢字の間違いには、「町と村、百と千、先と生」のように、意味が似ている漢字に書き間違う場合もあります。

また、「虫、足、糸」のように、斜めの線が交わる漢字で形の間違いが出やすくなります。

9

＊ぴったりのかんじをかこう！

うつくしい夕《ゆう》やけ。

町《まち》をあるく。

百《ひゃく》てんとった。

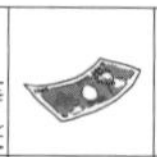
千《せん》円さつ

子うまが生《う》まれる。

耳《みみ》をすます。

ぼくは一年《ねん》生。

まっすぐ立《た》つ。

10

＊ぴったりのかんじをかこう！

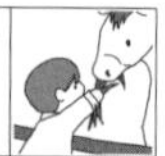
うまに草《くさ》をやる。

げん気《き》いっぱい。

男の先《せん》生。

糸《いと》のセーター。

山あいの村《むら》。

音《おと》をならす。

百円《えん》玉

校《こう》ちょう先生

解答　1年〈2〉　かんじたしざん

11

＊かんじのたしざんをしよう！

1. 亻＋木＝休 → 休み
2. タ＋口＝名 → 名ふだ
3. 口＋丨＝中 → まん中
4. ナ＋口＝右 → 右手
5. 宀＋子＝字 → かん字
6. ⺍＋子＝学 → 学校

＊こたえのかんじでことばをつくろう。

12

＊かんじのたしざんをしよう！

1. ナ＋工＝左 → 左がわ
2. 日＋十＝早 → 早おき
3. 艹＋早＝草 → 草むら
4. 木＋寸＝村 → 村人
5. 木＋木＝林 → 林の中
6. 王＋丶＝玉 → 玉入れ

＊こたえのかんじでことばをつくろう。

13

＊かんじのたしざんをしよう！

1. 田＋力＝男 → 男の子
2. 田＋丁＝町 → 町かど
3. ノ＋日＝白 → 白くま
4. 一＋白＝百 → 百円
5. 中＋一＝虫 → 虫かご
6. 目＋儿＝見 → お花見

＊こたえのかんじでことばをつくろう。

14

＊かんじのたしざんをしよう！

1. 目＋八＝貝 → 貝がら
2. 龶＋月＝青 → 青空
3. 立＋日＝音 → 雨音
4. 木＋林＝森 → 森の中
5. 艹＋化＝花 → 花びら
6. 穴＋工＝空 → 大空

＊こたえのかんじでことばをつくろう。

ポイント

「木の下に林で森」というように、部首の名前や位置を唱えながら書く練習をすると、形に注意を向けながら書くことができ、漢字が覚えやすくなります。

「＊こたえのかんじでことばをつくろう。」は例を挙げました。

解答　1年〈3〉　よみかたをかんがえて

ポイント

漢数字は通常の「いち・に…」の音読みと、数えるときに使う「ひとつ・ふたつ…」の訓読みがあります。また日付の「ついたち・ふつか」などは、音読み・訓読みとも対応しない特別な読み方になる場合もあります。

書いた後に読みの練習を入れ、体感的に読みを覚えていけるようにするとよいでしょう。

15

＊かんじとよみかたをかこう！

一　ひと　ひと(つ)　イチ　イツ

ぼくが一（いち）ばん。　にんじん一（いっぽん）本。

一（いちがつ）月一（ついたち）日　一（ひと）つぶのなみだ。

二　ふた　ふた(つ)　ニ

二（に）かいのへや。　二（ふたり）人であるく。

二（にがつ）月二（ふつか）日　二（ふた）つにきる。

三　み　み(つ)　みっ(つ)　サン

三（さん）びきの子ぶた。　えんぴつ三（さんぼん）本。

三（さんがつ）月三（みっか）日　三（みっ）つもらう。

四　よん・よ　よっ(つ)　シ

四（よん）かいだて　四（よにん）人かぞく

四（しがつ）月四（よっか）日　四（よっ）つあげる。

16

＊かんじとよみかたをかこう！

五　いつ　いつ(つ)　ゴ

五（ご）ばんめ　五（ごにん）人グループ

五（ごがつ）月五（いつか）日　五（いつ）つたべる。

六　む　むっ(つ)　ロク

六（ろく）じにおきる。　六（ろっぽん）本のぼう。

六（ろくがつ）月六（むいか）日　六（むっ）つかぞえる。

七　なな　なな(つ)　シチ

七（なな）ほしてんとう　七（しちにん）人のこびと。

七（しちがつ）月七（なのか）日　七（なな）つひろう。

八　や　やっ(つ)　ハチ

八（はち）じにはじまる。　たこの足が八（はっぽん）本。

八（はちがつ）月八（ようか）日　八（やっ）つみつける。

17

＊かんじとよみかたをかこう！

九　ここの　ここの(つ)　キュウ　ク

九（く）じにねる。　九（くにん・きゅうにん）人のチーム。

九（くがつ）月九（ここのか）日　九（ここの）つころがる。

十　とお　ジュウ　ジッ

十（じゅう）五ふんかかる。　十（じっ）かいとぶ。

十（じゅうがつ）月十（とおか）日　十（じゅう）までかぞえる。

月　つき　ゲツ　ガツ

月（つき）が出る。　お正月（しょうがつ）

月（げつ）よう日　まん月（げつ）を見る。

火　ひ　カ

火（ひ）がもえる。　つよ火（び）にする。

火（か）よう日　火（か）じがおきる。

18

＊かんじとよみかたをかこう！

水　みず　スイ

水（みず）をのむ。　水（みず）たまり

水（すい）よう日　水（すい）どうの水（みず）。

木　き　こ　モク　ボク

木（き）をうえる。　木（こ）かげで休む。

木（もく）よう日　大木（たいぼく）をきる。

金　かね　かな　キン　コン

お金（かね）をはらう。　金（かな）づちでたたく。

金（きん）よう日　金（きん）メダルをとる。

土　つち　ド　ト

土（つち）を入れる。　土（つち）をほる。

土（ど）よう日　ねん土（ど）あそび

解答　１年〈４〉　かんじをいれよう

ポイント

ワークの左端には、口に入る漢字をヒントとして載せています。はじめはヒントの部分を折って、見ないで書かせましょう。また、漢字が苦手な子にはヒントを見せて選んで書く練習をするなど、子どものつまずきに合わせて使い分けてください。

19

＊文をよんで、ぴったりのかんじをいれよう。

・つくえの **上** に、りんごが 一つ のっている。
・つくえの **下** に、えんぴつを おとした。
・バスは、たくさんの **人** を のせて はしる。
・かん字の しゅくだいを **先** 生に 見せる。
・きょうの 一じかんめは、プールに **入** る。
・五百 **円** もらって、かいものを する。
・山の 上から、月が **出** る。

〈ヒント〉
・出　・上　・円　・下　・入　・人　・先

20

＊文をよんで、ぴったりのかんじをいれよう。

・おとうさんは、とても **力** もちです。
・五百円玉が 二まいで、**千** 円に なります。
・大きな **口** を あけて、うたを うたいました。
・きのうの **夕** がた、かいものに いきました。
・アフリカゾウの 耳は、とても **大** きい。
・赤い スカートを はいた **女** の子。
・**小** さな ありを、虫めがねで 見る。

〈ヒント〉
・小　・力　・女　・千　・大　・口　・夕

21

＊文をよんで、ぴったりのかんじをいれよう。

・たかい **山** の上に、ゆきが つもっている。
・はしの 下に **川** が ながれている。
・一 **年** 生は、ぜんいんで 五十人です。
・みんなで **手** を つないで、まるく なる。
・としょかんで、**本** を 二さつ かりました。
・かたちに **気** を つけて かきましょう。
・こうえんまで、**犬** を さんぽに つれていく。

〈ヒント〉
・犬　・山　・気　・川　・本　・年　・手

22

＊文をよんで、ぴったりのかんじをいれよう。

・大きな おしろに **王** さまが、すんでいる。
・しいくごやの うさぎに 子どもが **生** まれた。
・**田** んぼで、おたまじゃくしを みつけた。
・きょうは、あさ 六じに **目** がさめた。
・川へ あそびに いって、**石** を ひろう。
・サッカーボールを **足** で おもいきり けった。
・きょうは、あさから **雨** が ふっている。

〈ヒント〉
・雨　・王　・足　・生　・石　・田　・目

第2章　漢字支援ワーク【2年生】

2年生の「漢字支援ワーク」活用のために

2年生の漢字について

2年生で習う漢字は160文字です。1年生と比べると、数も増え形も複雑なものが多くなります。複雑な漢字は、形をまねたり、一画ずつ書いたりするだけでは覚えていきにくくなります。漢字はいくつかの部首で構成されているものが多く、部首を手がかりに覚えていくと効率的です。2年生で習う漢字の部首をまとめた「かん字パーツ　2年生」を巻末に載せていますので、参照してください。本シリーズの1巻『読み書きが苦手な子どもへの〈基礎〉トレーニングワーク』でも詳しく述べています。

また、2年生の国語の教科書では、漢字を熟語として使われることが多くなります。熟語は音読みの組み合わせが多く、読みが難しくなります。単に漢字を覚えるだけでなく、文章の読解につなげていけるよう、漢字で表記されることばの語いを増やしていくような配慮も必要です。

2年生漢字ワーク①「かくれたパーツをさがせ」

部首の一部が隠された漢字を見て、正しい部首を書き入れるワークです。『作る』は人が作るから『にんべん』というように、部首の意味にも注目して書いていけるように支援してください。思い出しにくい場合には、巻末の「かん字パーツ」表を拡大して見せて、いくつかの中から選ばせることも有効な支援です。

下の文章に、問題の漢字だけでなく、既習の漢字も書き入れるワークになっています。

2年生漢字ワーク②「かん字たしざん」

2〜4個の部首を組み合わせてできる漢字を考えさせるワークです。部首の数が多くなると、その配置もいろんな組み合わせが出てきます。部首は筆順通りに並んでいるので、書くときのヒントにしてください。わかりにくい場合には、□を点線で区切って配置のヒントを出してあげてください（図1）。

「へん」と「つくり」が左右反対になりやすい子どもには、「へんは必ず左に、先に書く。」と、ことばで示してあげるとわかりやすくなります。

（図1　配置のヒント例）

言＋千＋口＝

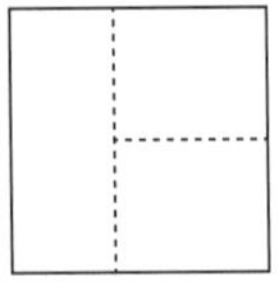

2年生漢字ワーク③
「よみかたを　かんがえて」

文中の□に同じ漢字を書き入れて、その読み方を書いていくワークです。

漢字には音読み、訓読みの複数の読み方があり、さらにそれぞれに複数の読み方を持つものもあります。例えば「行」は、音読みでは「コウ・ギョウ」、訓読みでは「いく・おこなう」となります。漢字の読み方は文脈によって決まります。このワークでは、文を読んで例示されているどの読みが適当かを書いていきます。「通る（とおる）」が「人通り（ひとどおり）」のように濁音化する場合があることにも注意させましょう。

2年生漢字ワーク④
「つながる　かん字はどれだ」

熟語になる漢字のペアを見つけて線でつないでいくワークです。

わかりにくいときには、読み方のヒントを出す前に、「会社（お父さんが毎日行くところ）」のように意味のヒントを出してあげてください。

読みの苦手な子どもには、読み方を隠して、漢字熟語だけでもう一度読みの練習をさせるとよいでしょう。

2年生漢字ワーク⑤
「たりないのはどこ（かたちをよくみて）」

部分的に消えている熟語の足りない部分を見つけて、正しく書いていくワークです。

熟語の漢字の両方に足りない部分があります。線の数や細かい部分にも注意させてください。読みの苦手な子どもには、自分で書いた熟語だけを見せて、読みの練習もさせるとよいでしょう。

子どもによっては知らない熟語も含まれています。子どもに意味を説明させたり、どんな風に使われるかの例を示してあげることも語いを増やしていくことにつながります。

熟語として漢字を覚えていくことは、読解の力をつけるとともに、生活に活きることばの学習につながります。

2年生漢字ワーク⑥
「かん字を入れよう」

文を読み、文脈から漢字を推測して書いていくワークです。

漢字の読み方は文章の流れで決まってきます。そのため、文章を読む力が漢字の読みの力につながってきます。

ワークの左端には、□に入る漢字をヒントとして載せています。はじめはヒントの部分を折って、見ないで書かせましょう。また、漢字が苦手な子にはヒントを見せて選んで書く練習をするなど、子どものつまずきに合わせて使い分けてください。

23

2年

<1>

かくれたパーツをさがせ①

名前

□作 つく(る)・サク	□青 は(れ)・セイ	□吾 かた(る)・ゴ	□氏 かみ・シ	□亍 い(く)・コウ	□也 いけ・チ
□《かみ》で□《ふね》を□《つく》る	□《きょう》は□《は》れ	□《こくご》の□《じかん》	□《くろ》い□《かみ》を□《き》る	□《えんそく》に□《い》く	□《こうえん》の□《いけ》

出来栄《できば》えは？

↓

完璧《かんぺき》

惜《お》しい

残念《ざんねん》

24

2年

<1>

かくれたパーツをさがせ②

名前

□帚　かえ(る)・キ

□《ゆうがた》□《いえ》に□《かえ》る

□斗　カ

□《りか》の□《きょうかしょ》

□市　あね

□《あね》の□《ほん》を□《よ》む

□昜　ば・ジョウ

□《こうじょう》の□《なか》の□《ひろば》

□丨　ひ(く)・イン

□《なが》い□《せん》を□《ひ》く

娄□　かず・スウ

□《すうじ》を□《か》く

出来栄《できば》えは？
↓

完璧《かんぺき》

惜《お》しい

残念《ざんねん》

25

2年

<1>

かくれたパーツをさがせ③

名前

1. 𠦝□　あさ・チョウ
   □《あさ》の□《てんき》
2. 亲□　おや・シン
   □《しんゆう》の□《いえ》に□《い》く
3. 豆□　あたま・トウ
   □《あたま》の□《うえ》の□《そら》
4. □亻夂　よる・ヤ
   □《よる》の□《うみ》を□《み》る
5. □貝　か(う)・バイ
   □《みせ》で□《さかな》を□《か》う
6. □ヨ　ゆき・セツ
   □《ゆきぐに》のお□《てら》

出来栄《できば》えは？

↓

完璧《かんぺき》

惜《お》しい

残念《ざんねん》

26

2年

<1>

かくれたパーツをさがせ④

名前

□合《こた(え)・トウ》	□宂《う(る)・バイ》	□前《まえ・ゼン》	箟□《サン》	圭□《むぎ》	里□《くろ・コク》
□《けいさん》の□《こた》え	□《はな》の□《う》り□《ば》	□《まえ》の□《ひと》の□《あたま》	□《さんすう》の□《じかん》	□《むぎちゃ》を□《い》れる	□《くろ》い□《とり》が□《な》く

出来栄《できば》えは？

↓

完璧《かんぺき》

惜《お》しい

残念《ざんねん》

27

2年

<2>

かん字たしざん①

名前

＊かん字のたしざんをしよう！

1. 亠＋父＝□ ↓↓↓ □
2. 冂＋人＝□ ↓↓↓ □
3. 山＋石＝□ ↓↓↓ □
4. 斤＋辶＝□ ↓↓↓ □
5. 首＋辶＝□ ↓↓↓ □
6. 日＋生＝□ ↓↓↓ □
7. 止＋少＝□ ↓↓↓ □
8. 禾＋火＝□ ↓↓↓ □

＊こたえのかん字でことばをつくろう。

出来栄《できば》えは？↓

完璧《かんぺき》

惜《お》しい

残念《ざんねん》

28

2年

<2>

かん字たしざん②

名前

＊かん字のたしざんをしよう！

1. 糸＋会＝□
2. 言＋売＝□
3. 口＋鳥＝□
4. 亻＋木＋一＝□
5. ⺌＋一＋儿＝□
6. 十＋冂＋羊＝□
7. 𠆢＋一＋口＝□
8. 囗＋ツ＋丶＝□

＊こたえのかん字でことばをつくろう。

出来栄《できば》えは？↓

完璧《かんぺき》

惜《お》しい

残念《ざんねん》

29

2年
<2>

かん字たしざん③

名前

＊かん字のたしざんをしよう！

1. 口＋王＋丶＝□ ↓ □
2. 广＋卜＋口＝□ ↓ □
3. 尺＋日＋一＝□ ↓ □
4. 日＋土＋寸＝□ ↓ □
5. 可＋可＋欠＝□ ↓ □
6. 卜＋口＋灬＝□ ↓ □
7. 一＋由＋凵＝□ ↓ □
8. ノ＋米＋田＝□ ↓ □

＊こたえのかん字でことばをつくろう。

出来栄《できば》えは？
↓

完璧《かんぺき》

惜《お》しい

残念《ざんねん》

30

2年

＜2＞

かん字たしざん④

名前

＊かん字のたしざんをしよう！

1. 十＋目＋乚＝□↓↓↓□

2. 冂＋人＋人＝□↓↓↓□

3. 言＋千＋口＝□↓↓↓□

4. 几＋一＋虫＝□↓↓↓□

5. 龷＋由＋八＝□↓↓↓□

6. 亻＋一＋口＋亅＝□↓□

7. 丷＋弓＋丨＋ノ＝□↓□

8. 冂＋土＋口＋辶＝□↓□

＊こたえのかん字でことばをつくろう。

出来栄《できば》えは？

↓

完璧《かんぺき》

惜《お》しい

残念《ざんねん》

31

2年 ＜3＞

よみかたをかんがえて⑦

名前

＊かん字とよみかたをかこう！

いま　□　コン	もと　□　ゲン	わ(ける)　□　フン　ブン	そと　□　ガイ
（　）□にも雨がふり出しそうな天気です。	出した本を（　）□通りにかたづける。	丸いケーキを四人（　）□に（　）□ける。	まどから、（　）□のけしきを見る。
（　）□夜は、花火大会がある。	公園で（　）□気にあそびましょう。	あつまる時間に五（　）□おくれる。	ひこうきで（　）□国に行く。

出来栄《できば》えは？↓

完璧《かんぺき》

惜《お》しい

残念《ざんねん》

32

2年 <3>

よみかたをかんがえて②

名前

＊かん字とよみかたをかこう！

すく（ない） ショウ □	かたち ケイ ギョウ □	とお（る） ツウ □	おし（える） キョウ □
一組は、男子より女子の方が□（　）ない。	この□（　）は、長方□（　）です。	人□（　）りの少ない道を□（　）る。	学校までの道を□（　）える。
□（　）年やきゅうのチームに入っている。	女の子が、お人□（　）であそんでいる。	この道は□（　）行止めで□（　）れない。	国語の□（　）科書を読む。

出来栄《できば》えは？ ↓

完璧《かんぺき》

惜《お》しい

残念《ざんねん》

33

2年

<3>

よみかたをかんがえて③

名前

＊かん字とよみかたをかこう！

あたら（しい） □ シン	あか（るい） □ メイ	たの（しい） □ ガク	ほそ（い） □ こま（かい）

（　）□しい算数のノートをつかう。

（　）□年に（　）□茶をのむ。

まん月の光が（　）□るい。

けんかの理ゆうをせつ（　）□する。

今日は（　）□しいクリスマス会です。

きれいな音（　）□を（　）□しむ。

（　）□いねぎを（　）□かくきざむ。

牛肉を（　）□切れにする。

出来栄《できば》えは？↓

完璧《かんぺき》

惜《お》しい

残念《ざんねん》

34 2年〈3〉 よみかたをかんがえて④

名前

＊かん字とよみかたをかこう！

き（く） □ ブン	にし □ サイ	かど つの □ カク	あいだ ま □ カン

校長先生の話をしっかり□（　）く。

お父さんが新□（　）を読んでいる。

□（　）の山に夕日がしずむ。

この場しょの東□（　）南北をしらべる。

大きな□（　）のトナカイを見る。

町□（　）に、三□（　）やねの家が見える。

山と山の□（　）から日がのぼる。

茶の□（　）で、電車の時□（　）をしらべる。

出来栄《できば》えは？
↓

完璧《かんぺき》

惜《お》しい

残念《ざんねん》

35

2年

＜4＞

つながるかん字はどれだ①

名前

＊ことばになるかん字をつなごう！

東・　会・　兄・　公・　大・　北・　午・　半・

・弟　・切　・社　・後　・京　・園　・分　・風

↓　↓　↓　↓　↓　↓　↓　↓

＊よみかた

出来栄《できば》えは？

↓

完璧《かんぺき》

惜《お》しい

残念《ざんねん》

36

2年
<4>

つながるかん字はどれだ②

名前

*ことばになるかん字をつなごう!

谷　野　親　弓　同　何　土　歌

点　川　地　友　原　矢　声　回

*よみかた

出来栄《できば》えは?
↓
完璧《かんぺき》
惜《お》しい
残念《ざんねん》

37

2年

＜4＞

つながるかん字はどれだ③

名前

＊ことばになるかん字をつなごう！

冬	多	姉	教	画	山	当	工
妹	山	家	少	番	室	作	寺

＊よみかた

出来栄《できば》えは？

↓

完璧《かんぺき》

惜《お》しい

残念《ざんねん》

38

2年

<4>

つながるかん字はどれだ④

名前

＊ことばになるかん字をつなごう！

市	台	天	茶	遠	中	手	方
数	足	心	場	角	才	色	首

＊よみかた

出来栄《できば》えは？↓

完璧《かんぺき》

惜《お》しい

残念《ざんねん》

39

2年

<4>

つながるかん字はどれだ⑤

名前

＊ことばになるかん字をつなごう！

朝・ 春・ 来・ 中・ 毎・ 毛・ 汽・ 生・

・週 ・食 ・朝 ・風 ・活 ・船 ・止 ・虫

↓ ↓ ↓ ↓ ↓ ↓ ↓ ↓

＊よみかた

(　) (　) (　) (　) (　) (　) (　) (　)

出来栄《できば》えは？ ↓

完璧《かんぺき》

惜《お》しい

残念《ざんねん》

40

2年
<4>

つながるかん字はどれだ⑥

名前

＊ことばになるかん字をつなごう！

父	牛	理	赤	電	自	計	日
・	・	・	・	・	・	・	・
・	・	・	・	・	・	・	・
組	算	線	肉	母	科	記	分
↓	↓	↓	↓	↓	↓	↓	↓
（　）	（　）	（　）	（　）	（　）	（　）	（　）	（　）

＊よみかた

出《で》来《き》栄《ば》えは？

↓

完璧《かんぺき》

惜《お》しい

残念《ざんねん》

41

2年

〈5〉

たりないのはどこ〈かたちをよくみて〉①

名前

＊たりないところをみつけて、正しくかこう。

① 九《まる》顔《がお》 ↓

② 万《ばん》国《こく》 ↓

③ 名《めい》刀《とう》 ↓

④ 古《こ》風《ふう》 ↓

⑤ 夏《なつ》場《ば》 ↓

⑥ 大《ふと》字《じ》 ↓

⑦ 広《ひろ》間《ま》 ↓

⑧ 強《きょう》弱《じゃく》 ↓

⑨ 思《し》考《こう》 ↓

⑩ 戸《こ》数《すう》 ↓

⑪ 書《しょ》道《どう》 ↓

⑫ 海《かい》外《がい》 ↓

出来栄《できば》えは？ ↓

完璧《かんぺき》

惜《お》しい

残念《ざんねん》

42

2年

<5>

たりないのはどこ〈かたちをよくみて〉②

名前

＊たりないところをみつけて、正しくかこう。

① 竹《さ》月《よう》 ↓ □

② 金《きん》曜《よう》 ↓ □

③ 顔《かお》色《いろ》 ↓ □

④ 知《ち》人《じん》 ↓ □

⑤ 新《しん》木《まい》 ↓ □

⑥ 羽《は》音《おと》 ↓ □

⑦ 言《げん》語《ご》 ↓ □

⑧ 走《そう》行《こう》 ↓ □

⑨ 村《むら》里《ざと》 ↓ □

⑩ 長《なが》詁《ばなし》 ↓ □

⑪ 門《もん》香《ばん》 ↓ □

⑫ 雲《うん》海《かい》 ↓ □

出来栄《できば》えは？

↓

完璧《かんぺき》

惜《お》しい

残念《ざんねん》

43

2年

〈5〉

たりないのはどこ〈かたちをよくみて〉③

名前

＊たりないところをみつけて、正しくかこう。

① 馬《ば》車《しゃ》 ↓ □

② 高《こう》原《げん》 ↓ □

③ 金《きん》魚《ぎょ》 ↓ □

④ 野《や》鳥《ちょう》 ↓ □

⑤ 足《あし》首《くび》 ↓ □

⑥ ク《ゆう》食《しょく》 ↓ □

⑦ 電《でん》車《しゃ》 ↓ □

⑧ 野《や》草《そう》 ↓ □

⑨ 谷《たに》門《ま》 ↓ □

⑩ 計《けい》画《かく》 ↓ □

⑪ 赤《あか》色《いろ》 ↓ □

⑫ 風《ふう》船《せん》 ↓ □

出来栄《できば》えは？

↓

完璧《かんぺき》

惜《お》しい

残念《ざんねん》

44

2年

＜5＞

たりないのはどこ（かたちをよくみて）④

名前

＊たりないところをみつけて、正しくかこう。

① 直《ちょく》線《せん》
↓
□

② 番《ばん》組《ぐみ》
↓
□

③ 矢《や》車《ぐるま》
↓
□

④ 道《どう》理《り》
↓
□

⑤ 親《おや》午《うし》
↓
□

⑥ 活《かっ》気《き》
↓
□

⑦ 羽《う》毛《もう》
↓
□

⑧ 毎《まい》週《しゅう》
↓
□

⑨ 東《とう》儿《ほく》
↓
□

⑩ 末《らい》春《しゅん》
↓
□

⑪ 遠《とお》出《で》
↓
□

⑫ 食《しょく》後《ご》
↓
□

出《で》来《き》栄《ば》えは？
↓

完璧《かんぺき》

惜《お》しい

残念《ざんねん》

45

2年
〈6〉

かん字を入れよう①

名前

＊文をよんで、ぴったりのかん字を入れよう。

・朝おきると、まっ白な□がつもっていた。

・□になると、さくらの花がさく。

・強い□がふいて、ぼうしをとばされた。

・えんぴつで、ていねいに字を□く。

・今□の金曜日は、遠足です。

・□っぱに、タンポポがたくさんさいています。

・キリンは、首が長くて、せが□い。

〈ヒント〉
・高　・雪　・原　・春　・週　・風　・書

出来《でき》栄《ば》えは？ ↓

完璧《かんぺき》

惜《お》しい

残念《ざんねん》

46

2年
＜6＞

かん字を入れよう②

名前

＊文をよんで、ぴったりのかん字を入れよう。

・明日の天気は、きっと□れるでしょう。

・二年生になって、□しい友だちができた。

・二年一組の□室は、二かいにある。

・きゅうしょくは、毎日のこさずに□べる。

・毎週、水□日は、スイミングに行きます。

・はをみがいた後、つめたい水で□をあらう。

・今夜は、まん月で□るい夜だ。

〈ヒント〉
・明　・晴　・顔　・新　・曜　・教　・食

出来栄《できば》えは？↓

完璧《かんぺき》

惜《お》しい

残念《ざんねん》

47

2年

＜6＞

かん字を入れよう③

名前

＊文をよんで、ぴったりのかん字を入れよう。

・ろうかは、走らないで□きましょう。

・天気のよい日は□に出てあそびましょう。

・□の水は、とてもしおからい。

・ぞうのはなは□くて、べんりだ。

・テストのもんだいの□えを考える。

・はさみで、□を丸く切る。

・青い空に、白い□がうかんでいる。

〈ヒント〉

・雲　・歩　・紙　・外　・答　・海　・長

出来栄《できば》えは？ ↓

完璧《かんぺき》

惜《お》しい

残念《ざんねん》

48

2年

＜6＞

かん字を入れよう④

名前

＊文をよんで、ぴったりのかん字を入れよう。

・学校まで□いので、歩いて三十分かかる。

・夜空に、明るい□が光っている。

・てつぼうにぶつかって、□にこぶができた。

・□いカラスが「カーカー」鳴いている。

・学校がおわって、□に帰る。

・早おきして、ねむかったので□ねをした。

・小さいころから、なかのよい□友です。

〈ヒント〉

・親　・遠　・昼　・星　・家　・頭　・黒

出来栄《できば》えは？↓

完璧《かんぺき》

惜《お》しい

残念《ざんねん》

49

2年
＜6＞

かん字を入れよう⑤

名前

＊文をよんで、ぴったりのかん字を入れよう。

・足音がしたので、□ろをふりむいた。

・この田んぼでは、お米を□っている。

・新かん線のまどから、□京タワーが見えた。

・お□のかねが、「ゴーン」と鳴った。

・このみなとから、□でしまにわたる。

・チーターは、□るのがとてもはやい。

・この□をまっすぐ行くと、公園です。

〈ヒント〉

・道　・後　・走　・作　・船　・東　・寺

出来栄《できば》えは？　↓

完璧《かんぺき》

惜《お》しい

残念《ざんねん》

50

2年

<6>

かん字を入れよう⑥

名前

＊文をよんで、ぴったりのかん字を入れよう。

・毎日、お□わんに二はい、ごはんを食べる。

・パンやパスタは、小□から作られます。

・この市□では、いろんなものを売っている。

・□休みに、家ぞくでスキーに行った。

・友だちと、糸□話を作ってあそんだ。

・ゴリラは、力が□いどうぶつです。

・このお話は、とても□にのこりました。

〈ヒント〉

・心　・茶　・強　・麦　・場　・電　・冬

出来《でき》栄《ば》えは？　↓

完璧《かんぺき》

惜《お》しい

残念《ざんねん》

解答　2年〈1〉　かくれたパーツをさがせ

23

作《つく(る)・サク》　紙《かみ》で船《ふね》を作《つく》る

晴《は(れ)・セイ》　今日《きょう》は晴《は》れ

語《かた(る)・ゴ》　国語《こくご》の時間《じかん》

紙《かみ・シ》　黒《くろ》い紙《かみ》を切《き》る

行《い(く)・コウ》　遠足《えんそく》に行《い》く

池《いけ・チ》　公園《こうえん》の池《いけ》

24

帰《かえ(る)・キ》　夕方《ゆうがた》家《いえ》に帰《かえ》る

科《カ》　理科《りか》の教科書《きょうかしょ》

姉《あね》　姉《あね》の本《ほん》を読《よ》む

場《ば・ジョウ》　工場《こうじょう》の中《なか》の広場《ひろば》

引《ひ(く)・イン》　長《なが》い線《せん》を引《ひ》く

数《かず・スウ》　数字《すうじ》を書《か》く

25

朝《あさ・チョウ》　朝《あさ》の天気《てんき》

親《おや・シン》　親友《しんゆう》の家《いえ》に行《い》く

頭《あたま・トウ》　頭《あたま》の上《うえ》の空《そら》

夜《よる・ヤ》　夜《よる》の海《うみ》を見《み》る

買《か(う)・バイ》　店《みせ》で魚《さかな》を買《か》う

雪《ゆき・セツ》　雪国《ゆきぐに》のお寺《てら》

26

答《こた(え)・トウ》　計算《けいさん》の答《こた》え

売《う(る)・バイ》　花《はな》の売《う》り場《ば》

前《まえ・ゼン》　前《まえ》の人《ひと》の頭《あたま》

算《サン》　算数《さんすう》の時間《じかん》

麦《むぎ》　麦茶《むぎちゃ》を入《い》れる

黒《くろ・コク》　黒《くろ》い鳥《とり》が鳴《な》く

ポイント

『作る』は人が作るから『にんべん』というように、部首の意味にも注目して書いていけるように支援してください。思い出しにくい場合には、「かん字パーツ」表を見せて、いくつかの中から選ばせることも有効な支援です。

解答　2年〈2〉　かん字たしざん

ポイント

部首は筆順通りに並んでいるので、書くときのヒントにしてください。
わかりにくい場合には、口を点線で区切って配置のヒントを出してあげてください。
「＊こたえのかん字でことばをつくろう。」は例を挙げました。

27

＊かん字のたしざんをしよう！

1. 亠＋父＝交　→　交通
2. 冂＋人＝内　→　内がわ
3. 山＋石＝岩　→　岩山
4. 斤＋辶＝近　→　近道
5. 首＋辶＝道　→　まわり道
6. 日＋生＝星　→　ながれ星
7. 止＋少＝歩　→　歩き出す
8. 禾＋火＝秋　→　秋まつり

＊こたえのかん字でことばをつくろう。

28

＊かん字のたしざんをしよう！

1. 糸＋会＝絵　→　絵はがき
2. 言＋売＝読　→　本読み
3. 口＋鳥＝鳴　→　鳴き声
4. 亻＋木＋一＝体　→　体いく
5. ⺌＋一＋儿＝光　→　朝の光
6. 十＋冂＋𢆉＝南　→　南むき
7. 人＋一＋口＝合　→　合図
8. 囗＋ツ＋丶＝図　→　図工

＊こたえのかん字でことばをつくろう。

29

＊かん字のたしざんをしよう！

1. 囗＋王＋丶＝国　→　外国
2. 广＋⺊＋口＝店　→　夜店
3. 尺＋日＋一＝昼　→　昼ごはん
4. 日＋土＋寸＝時　→　時間
5. 可＋可＋欠＝歌　→　歌声
6. ⺊＋口＋灬＝点　→　点数
7. 一＋由＋凵＝画　→　図画
8. ノ＋米＋田＝番　→　当番

＊こたえのかん字でことばをつくろう。

30

＊かん字のたしざんをしよう！

1. 十＋目＋𠃊＝直　→　直線
2. 冂＋人＋人＝肉　→　牛肉
3. 言＋千＋口＝話　→　電話
4. 几＋ノ＋虫＝風　→　北風
5. 龷＋由＋八＝黄　→　黄色
6. 亻＋一＋口＋亅＝何　→　何時
7. 丷＋弓＋丨＋ノ＝弟　→　兄弟
8. 冂＋土＋口＋辶＝週　→　今週

＊こたえのかん字でことばをつくろう。

31

*かん字とよみかたをかこう！

- 今（いま／コン）
  - 今《いま》にも雨がふり出しそうな天気です。
  - 今《こん》夜は、花火大会がある。
- 元（もと／ゲン）
  - 出した本を元《もと》通りにかたづける。
  - 公園で元《げん》気にあそびましょう。
- 分（わ(ける)／フン・ブン）
  - 丸いケーキを四人分《ぶん》に分《わ》ける。
  - あつまる時間に五分《ふん》おくれる。
- 外（そと／ガイ）
  - まどから、外《そと》のけしきを見る。
  - ひこうきで外《がい》国に行く。

32

*かん字とよみかたをかこう！

- 少（すく(ない)／ショウ）
  - 一組は、男子より女子の方が少《すく》ない。
  - 少《しょう》年やきゅうのチームに入っている。
- 形（かたち／ケイ・ギョウ）
  - この形《かたち》は、長方形《けい》です。
  - 女の子が、お人形《ぎょう》であそんでいる。
- 通（とお(る)／ツウ）
  - 人通《どお》りの少ない道を通《とお》る。
  - この道は通《つう》行止めで通《とお》れない。
- 教（おし(える)／キョウ）
  - 学校までの道を教《おし》える。
  - 国語の教《きょう》科書を読む。

33

*かん字とよみかたをかこう！

- 新（あたら(しい)／シン）
  - 新《あたら》しい算数のノートをつかう。
  - 新《しん》年に新《しん》茶をのむ。
- 明（あか(るい)／メイ）
  - まん月の光が明《あか》るい。
  - けんかの理ゆうをせつ明《めい》する。
- 楽（たの(しい)／ガク）
  - 今日は楽《たの》しいクリスマス会です。
  - きれいな音楽《がく》を楽《たの》しむ。
- 細（ほそ(い)／こま(かい)）
  - 細《ほそ》いねぎを細《こま》かくきざむ。
  - 牛肉を細《こま》切れにする。

34

*かん字とよみかたをかこう！

- 聞（き(く)／ブン）
  - 校長先生の話をしっかり聞《き》く。
  - お父さんが新聞《ぶん》を読んでいる。
- 西（にし／サイ）
  - 西《にし》の山に夕日がしずむ。
  - この場しょの東西《ざい》南北をしらべる。
- 角（かど・つの／カク）
  - 大きな角《つの》のトナカイを見る。
  - 町角《かど》に、三角《かく》やねの家が見える。
- 間（あいだ・ま／カン）
  - 山と山の間《あいだ》から日がのぼる。
  - 茶の間《ま》で、電車の時間《かん》をしらべる。

ポイント

漢字には音読み、訓読みの複数の読み方があり、読み方は文脈によって決まります。文をしっかり読み、文脈に合う読み方を考えるよう支援してください。「通る（とおる）」が「人通り（ひとどおり）」のように濁音化する場合があることにも注意させましょう。

解答　２年〈４〉　つながるかん字はどれだ

ポイント

わかりにくいときには、読み方のヒントを出す前に、「会社（お父さんが毎日行くところ）」のように意味のヒントを出してあげてください。読みの苦手な子どもには、読み方を隠して、漢字熟語だけでもう一度読みの練習をさせるとよいでしょう。

35

＊ことばになるかん字をつなごう！

東　会　兄　公　大　北　午　半

弟　切　社　後　京　園　分　風

＊よみかた

兄弟（きょうだい）　大切（たいせつ）　会社（かいしゃ）　午後（ごご）　東京（とうきょう）　公園（こうえん）　半分（はんぶん）　北風（きたかぜ）

36

＊ことばになるかん字をつなごう！

谷　野　親　弓　同　何　土　歌

点　川　地　友　原　矢　声　回

＊よみかた

同点（どうてん）　谷川（たにがわ）　土地（とち）　親友（しんゆう）　野原（のはら）　弓矢（ゆみや）　歌声（うたごえ）　何回（なんかい）

37

＊ことばになるかん字をつなごう！

冬　多　姉　教　画　山　当　工

妹　山　家　少　番　室　作　寺

＊よみかた

姉妹（しまい）　冬山（ふゆやま）　画家（がか）　多少（たしょう）　当番（とうばん）　教室（きょうしつ）　工作（こうさく）　山寺（やまでら）

38

＊ことばになるかん字をつなごう！

市　台　天　茶　遠　中　手　方

数　足　心　場　角　才　色　首

＊よみかた

台数（だいすう）　遠足（えんそく）　中心（ちゅうしん）　市場（いちば）　方角（ほうがく）　天才（てんさい）　茶色（ちゃいろ）　手首（てくび）

※37の「姉妹（<u>しま</u>い）」―下線部は小学校では習わない読み方です。

Column 2

漢字の読み方

少し変な文章ですが、次の文を読んでみてください。

> 上り坂の上にあるビルの屋上にかけ上がった人は、黒い上着を着て、川上にある山の上空を見上げている。

この文には「上」の字が８個ありますが、読み方は何種類あるでしょう？
答えは７種類です。

①ジョウ（屋上・上空）、②のぼり、③うえ、④あがった、⑤うわぎ、⑥かわかみ、⑦みあげ

このように漢字には、音読み・訓読みの複数の読み方があり、その中にも複数の読み方を持つものがあります。

漢字の読み方は文の中でどのように使われているかで決まってきます。漢字まじりの文を正確に読むためには、一瞬でことばのまとまりを見つけ、意味をわかって読むことが必要です。

漢字の学習は、覚えていかなければならない数が多いため、書く練習が中心になりがちです。しかし、読みの練習、特に文章の中で漢字を読んでいく練習も大切にしていかなければなりません。

解答　２年〈４〉　つながるかん字はどれだ

ポイント

「大切・土地・日記」のように、熟語になると通常の読み方から変わる場合があります。熟語としての意味と読み方と漢字を、対応して覚えていけるよう指導してください。意味がわかることを優先して、「姉妹（しまい）」のように小学校で習わない読み方の熟語も一部含まれています。

39

＊ことばになるかん字をつなごう！

生　汽　毛　毎　中　来　春　朝

虫　止　船　活　風　朝　食　週

↓

毛虫（けむし）　中止（ちゅうし）　汽船（きせん）　生活（せいかつ）　春風（はるかぜ）　毎朝（まいあさ）　朝食（ちょうしょく）　来週（らいしゅう）

＊よみかた

40

＊ことばになるかん字をつなごう！

日　計　自　電　赤　理　牛　父

分　記　科　母　肉　線　算　組

↓

自分（じぶん）　日記（にっき）　理科（りか）　父母（ふぼ）　牛肉（ぎゅうにく）　電線（でんせん）　計算（けいさん）　赤組（あかぐみ）

＊よみかた

解答　２年〈５〉　たりないのはどこ（かたちをよくみて）

41

＊たりないところをみつけて、正しくかこう。

① 九《まる》顔《がお》→**丸顔**
② 万《ばん》国《こく》→**万国**
③ 名《めい》フ《とう》→**名刀**
④ 古《こ》風《ふう》→**古風**
⑤ 夏《なつ》場《ば》→**夏場**
⑥ 大《ふと》字《じ》→**太字**
⑦ 広《ひろ》間《ま》→**広間**
⑧ 強《きょう》弱《じゃく》→**強弱**
⑨ 思《し》考《こう》→**思考**
⑩ 戸《こ》数《すう》→**戸数**
⑪ 書《しょ》道《どう》→**書道**
⑫ 海《かい》外《がい》→**海外**

42

＊たりないところをみつけて、正しくかこう。

① 竹《さ》月《よう》→**作用**
② 金《きん》曜《よう》→**金曜**
③ 顔《かお》色《いろ》→**顔色**
④ 知《ち》人《じん》→**知人**
⑤ 新《しん》木《まい》→**新米**
⑥ 羽《は》音《おと》→**羽音**
⑦ 言《げん》語《ご》→**言語**
⑧ 走《そう》行《こう》→**走行**
⑨ 村《むら》里《ざと》→**村里**
⑩ 長《なが》話《ばなし》→**長話**
⑪ 門《もん》番《ばん》→**門番**
⑫ 雲《うん》海《かい》→**雲海**

43

＊たりないところをみつけて、正しくかこう。

① 馬《ば》車《しゃ》→**馬車**
② 高《こう》原《げん》→**高原**
③ 金《きん》魚《ぎょ》→**金魚**
④ 野《や》鳥《ちょう》→**野鳥**
⑤ 足《あし》首《くび》→**足首**
⑥ ク《ゆう》食《しょく》→**夕食**
⑦ 電《でん》車《しゃ》→**電車**
⑧ 野《や》草《そう》→**野草**
⑨ 谷《たに》門《ま》→**谷間**
⑩ 計《けい》画《かく》→**計画**
⑪ 赤《あか》色《いろ》→**赤色**
⑫ 風《ふう》船《せん》→**風船**

44

＊たりないところをみつけて、正しくかこう。

① 直《ちょく》線《せん》→**直線**
② 番《ばん》組《ぐみ》→**番組**
③ 矢《や》車《ぐるま》→**矢車**
④ 道《どう》埋《り》→**道理**
⑤ 親《おや》午《うし》→**親牛**
⑥ 活《かっ》気《き》→**活気**
⑦ 羽《う》毛《もう》→**羽毛**
⑧ 毎《まい》週《しゅう》→**毎週**
⑨ 東《とう》儿《ほく》→**東北**
⑩ 未《らい》春《しゅん》→**来春**
⑪ 遠《とお》出《で》→**遠出**
⑫ 食《しょく》後《ご》→**食後**

ポイント

熟語の漢字の両方に足りない部分があります。線の数や細かい部分にも注意させてください。読みの苦手な子どもには、自分で書いた熟語だけを見せて、読みの練習もさせるとよいでしょう。子どもによっては知らない熟語も含まれています。子どもに意味を説明させたり、どんな風に使われるかの例を示してあげることも語いを増やしていくことにつながります。

※41「万国（<u>ばん</u>こく）」、44「羽毛（<u>う</u>もう）」―下線部は小学校では習わない読み方です。

解答　2年〈6〉　かん字を入れよう

45

＊文をよんで、ぴったりのかん字を入れよう。

・朝おきると、まっ白な雪がつもっていた。
・春になると、さくらの花がさく。
・強い風がふいて、ぼうしをとばされた。
・えんぴつで、ていねいに字を書く。
・今週の金曜日は、遠足です。
・原っぱに、タンポポがたくさんさいています。
・キリンは、首が長くて、せが高い。

〈ヒント〉
・高　・雪　・原　・春　・週　・風　・書

46

＊文をよんで、ぴったりのかん字を入れよう。

・明日の天気は、きっと晴れるでしょう。
・二年生になって、新しい友だちができた。
・二年一組の教室は、二かいにある。
・きゅうしょくは、毎日のこさずに食べる。
・毎週、水曜日は、スイミングに行きます。
・はをみがいた後、つめたい水で顔をあらう。
・今夜は、まん月で明るい夜だ。

〈ヒント〉
・明　・晴　・顔　・新　・曜　・教　・食

47

＊文をよんで、ぴったりのかん字を入れよう。

・ろうかは、走らないで歩きましょう。
・天気のよい日は外に出てあそびましょう。
・海の水は、とてもしおからい。
・ぞうのはなは長くて、べんりだ。
・テストのもんだいの答えを考える。
・はさみで、紙を丸く切る。
・青い空に、白い雲がうかんでいる。

〈ヒント〉
・雲　・歩　・紙　・外　・答　・海　・長

48

＊文をよんで、ぴったりのかん字を入れよう。

・学校まで遠いので、歩いて三十分かかる。
・夜空に、明るい星が光っている。
・てつぼうにぶつかって、頭にこぶができた。
・黒いカラスが「カーカー」鳴いている。
・学校がおわって、家に帰る。
・早おきして、ねむかったので昼ねをした。
・小さいころから、なかのよい親友です。

〈ヒント〉
・親　・遠　・昼　・星　・家　・頭　・黒

ポイント

ワークの左端には、口に入る漢字をヒントとして載せています。はじめはヒントの部分を折って、見ないで書かせましょう。また、漢字が苦手な子にはヒントを見せて選んで書く練習をするなど、子どものつまずきに合わせて使い分けてください。

Column 3

漢字の三要素

かな文字を覚えるには、「音」と「形」の二つのつながりを覚えることが必要です。これが漢字になるともう一つの要素「意味」も一緒に覚えることが必要になります。

漢字の誤りパターンを見ていくと、この三つの要素が漢字の誤りと関連していることがわかります。

次の図を見てください。

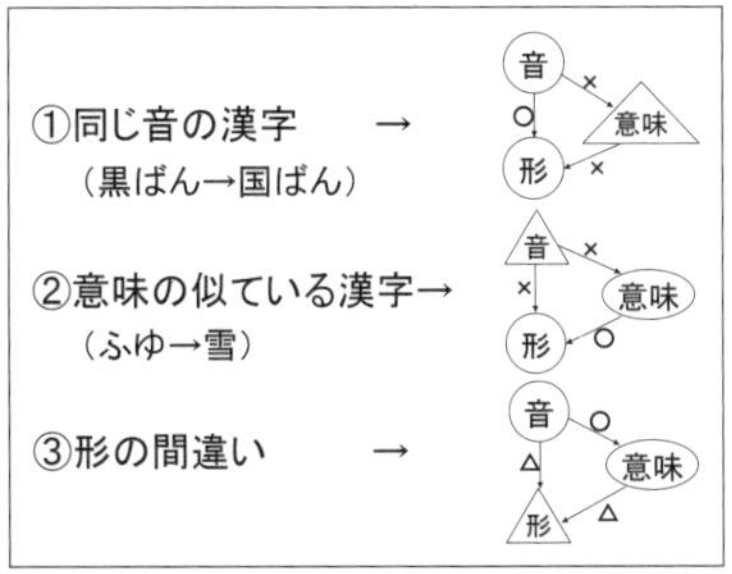

①の同じ音の漢字に書き間違う場合には、漢字の「意味」がしっかり覚えられていないことがわかります。

②の意味の似ている漢字に書き間違う場合には、漢字の「音」が覚えられていないことがわかります。

③の形の間違いでは、「形」の習得が不十分だということになります。

コラム４～６では、この三つの間違いパターンについてもう少し詳しく述べていきたいと思います。

解答　２年〈６〉　かん字を入れよう

49

＊文をよんで、ぴったりのかん字を入れよう。

・足音がしたので、**後**ろをふりむいた。
・この田んぼでは、お米を**作**っている。
・新かん線のまどから、**東**京タワーが見えた。
・お**寺**のかねが、「ゴーン」と鳴った。
・このみなとから、**船**でしまにわたる。
・チーターは、**走**るのがとてもはやい。
・この**道**をまっすぐ行くと、公園です。

〈ヒント〉・道・後・走・作・船・東・寺

50

＊文をよんで、ぴったりのかん字を入れよう。

・毎日、お**茶**わんに二はい、ごはんを食べる。
・パンやパスタは、小**麦**から作られます。
・この市**場**では、いろんなものを売っている。
・**冬**休みに、家ぞくでスキーに行った。
・友だちと、糸**電**話を作ってあそんだ。
・ゴリラは、力が**強**いどうぶつです。
・このお話は、とても**心**にのこりました。

〈ヒント〉・心・茶・強・麦・場・電・冬

ポイント

このワークでは、口に入る漢字の読み方が書かれていません。口の前後の文をしっかり読んで、どんな意味のことば（漢字）が適切か考えさせてください。わかりにくいときには、「後ろ→前の反対は」のように、読み方ではなく、意味のヒントを出して考えさせましょう。また、漢字が思い出せないときは、「～へん」など形のヒントが有効です。

第3章　漢字支援ワーク【3年生】

3年生の「漢字支援ワーク」活用のために

3年生の漢字について

3年生で習う漢字は200文字です。これは、4年生とともに一年間で覚える漢字の数が一番多い学年です。画数が多く、形が複雑なものも増えます。漢字はいくつかの部首で構成されているものが多く、部首を手がかりに覚えていくと効率的です。3年生で習う漢字の部首をまとめた「漢字パーツ　3年生」を巻末に載せていますので、参照してください。本シリーズの2巻『読み書きが苦手な子どもへの〈つまずき〉支援ワーク』でも詳しく述べています。

読みでも同音異字がたくさん出てきます。例えば、「シ」という音読みで、「仕・死・使・始・指・歯・詩」の7個習うことになります。熟語を書くときに、同じ読みの違う漢字を書いてしまう間違いも多くなります。漢字を覚えていくときに、漢字の意味や、その漢字が使われる熟語もしっかり覚えていく必要があります。

3年生漢字ワーク①「かくれたパーツをさがせ」

漢字の部首の一部が隠された漢字を見て、正しい部首を書き入れるワークです。

『打つ』は手で持って打つから『てへん』というように、部首の意味にも注目して書いていけるように支援してください。思い出しにくい場合には、巻末の「漢字パーツ」表を拡大して見せて、いくつかの中から選ばせることも有効な支援です。

下の文章には、問題の漢字だけでなく、既習の漢字も書き入れるワークになっています。

3年生漢字ワーク②「漢字たしざん」

3～4個の部首を組み合わせてできる漢字を考えさせるワークです。部首の数が多くなると、その配置もいろんな組み合わせが出てきます。部首は筆順通りに並んでいるので、書くときのヒントにしてください。わかりにくい場合には、口を点線で区切って配置のヒントを出してあげてください（図2）。漢字を書いた後に、『にんべん』の横に『立つ』『口』で『ばい』のように式と答えを唱えさせるとよいでしょう。

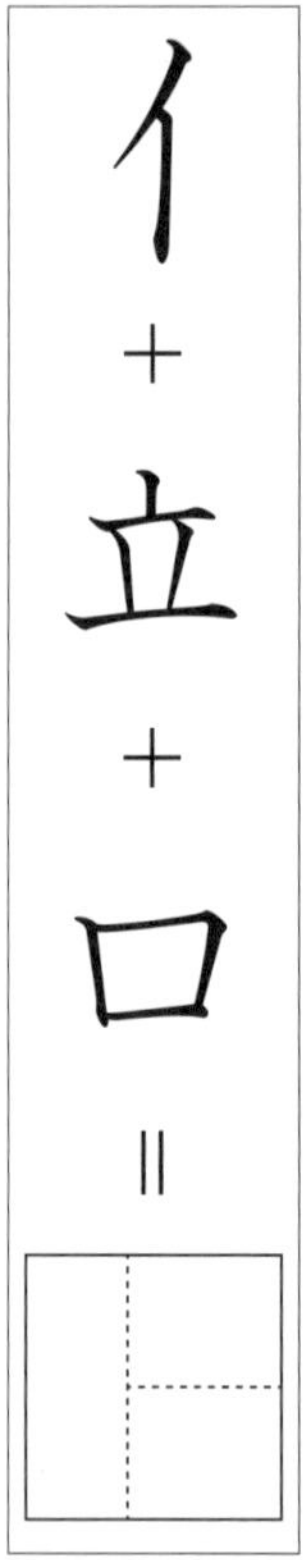

（図2　配置のヒント例）

3年生漢字ワーク③「読み方を考えて」

文中の□に同じ漢字を書き入れて、その読み方を書いていくワークです。

漢字には音読み、訓読みの複数の読み方があり、さらにそれぞれに複数の読み方を持つものもあります。例えば「平」は、音読みでは「ヘイ・ビョウ」、訓読みでは「たいら・ひら」となります。漢字の読み方は文脈によって決まります。このワークでは、文を読んで例示されているどの読みが適当かを書いていきます。「事（こと）」が「仕事（しごと）」のように濁音化する場合があることにも注意させましょう。

小学校では習わない読み方も含めています。聞いたことのあることばや知っていることばも多いと思いますので、例示されている読みを当てはめながら考えさせてください。

3年生漢字ワーク④「つながる漢字はどれだ」

熟語になる漢字のペアを見つけて線でつないでいくワークです。

わかりにくいときには、読み方のヒントを出す前に、「仕事（お父さんは会社で何をしている）」のように意味のヒントを出してあげてください。

読みの苦手な子どもには、読み方を隠して、漢字熟語だけでもう一度読みの練習をさせるとよいでしょう。

3年生漢字ワーク⑤「たりないのはどこ（形をよく見て）」

部分的に消えている熟語の足りない部分を見つけて、正しく書いていくワークです。

熟語の漢字の両方に足りない部分があります。線の数や細かい部分にも注意させてください。読みの苦手な子どもには、自分で書いた熟語だけを見せて、読みの練習もさせるとよいでしょう。

子どもによっては知らない熟語も含まれています。子どもに意味を説明させたり、どんな風に使われるかの例を示してあげることも語いを増やしていくことにつながります。

熟語として漢字を覚えていくことは、読解の力をつけるとともに、生活に活きることばの学習につながります。

3年生漢字ワーク⑥「漢字を入れよう」

文を読み、文脈から漢字を推測して書いていくワークです。

漢字の読み方は文章の流れで決まってきます。そのため、文章を読む力が漢字の読みの力につながってきます。

ワークの左端には、□に入る漢字をヒントとして載せています。はじめはヒントの部分を折って、見ないで書かせましょう。また、漢字が苦手な子にはヒントを見せて選んで書く練習をするなど、子どものつまずきに合わせて使い分けてください。

51
3年
<1>
かくれたパーツをさがせ⑦

名前

□田　はた・はたけ

□《はなばたけ》が□《ひろ》がる

□欠　つぎ・ジ

□《つぎ》の□《でんしゃ》が□《く》る

□丁　う(つ)・ダ

□《う》ち□《あ》げ□《はなび》

□勿　もの・ブツ

□《うみ》の□《さかな》の□《ものがたり》

□尺　エキ

□《えきまえ》のお□《みせ》

□失　テツ

□《ちかてつ》の□《いりぐち》

出来栄《できば》えは？
↓

完璧《かんぺき》

惜《お》しい

残念《ざんねん》

52
3年
<1>

かくれたパーツをさがせ②

名前

□寺《ま(つ)・タイ》
□《えき》の□《まちあいしつ》

□少《ビョウ》
□《じかん》は□《じゅうびょう》

□云《ころ(ぶ)・テン》
□《きいろ》の□《じてんしゃ》

□官《やかた・カン》
□《としょかん》の□《かんちょう》

□开《ケン》
□《りか》の□《けんきゅう》

□し《レイ》
□《あね》にお□《れい》を□《い》う

出来栄《できば》えは？
↓

完璧《かんぺき》

惜《お》しい

残念《ざんねん》

53

3年

<1>

かくれたパーツをさがせ③

名前

□衣《たび・リョ》	□豆《みじか(い)・タン》	□斤《ところ・ショ》	□長《チョウ》	□各《じ・ロ》	氵□《さけ・シュ》
□《なつ》の□《りょこう》	□《けいと》を□《みじか》く□《き》る	□《ひろ》い□《ばしょ》に□《た》つ	□《ちち》の□《くろ》い□《てちょう》	□《いえ》の□《まえ》の□《どうろ》	□《こめ》から□《さけ》を□《つく》る

出来栄《できば》えは？

↓

完璧《かんぺき》

惜《お》しい

残念《ざんねん》

54

3年

<1>

かくれたパーツをさがせ④

名前

□𠬝《フク》

□《あか》い□《いろ》の□《ふく》

□九《キュウ》

□《だいがく》の□《けんきゅうしつ》

□又《う(ける)・ジュ》

□《う》け□《こた》え

□开《ハツ》

□《でんしゃ》が□《しゅっぱつ》する

□丙《やまい・ビョウ》

□《びょうき》で□《やす》む

□至《や・オク》

□《がっこう》の□《おくじょう》

出来栄《できば》えは？

↓

完璧《かんぺき》

惜《お》しい

残念《ざんねん》

55

3年

＜1＞

かくれたパーツをさがせ⑤

名前

□《ド》	□《もの・シャ》	反□《かえ(す)・ヘン》	己□《お(きる)・キ》	文□《タイ》	方□《はな(す)・ホウ》
□《にほん》の□《せん》の□《かくど》	□《きょうしつ》の□《にんきもの》	□《としょ》を□《かえ》す	□《はは》が□《おとうと》を□《お》こす	□《ずけい》の□《たいかくせん》	□《そら》に□《とり》を□《はな》す

出来栄《できば》えは？
↓

完璧《かんぺき》

惜《お》しい

残念《ざんねん》

56

3年

<1>

かくれたパーツをさがせ⑥

名前

歹□ レツ	是□ ダイ	者□ みやこ・ト	辶□ すす(む)・シン	食□ の(む)・イン	酉□ くば(る)・ハイ
□《なが》い□《ぎょうれつ》	□《あたら》しい□《ほん》の□《だいめい》	□《きょうと》のお□《てら》	□《すこ》し□《まえ》へ□《すす》む	□《すいどう》の□《みず》を□《の》む	□《てんき》を□《しんぱい》する

出来栄《できば》えは？
↓

完璧《かんぺき》

惜《お》しい

残念《ざんねん》

57

3年

＜2＞

漢字たしざん①

名前

＊漢字のたしざんをしよう！

1. 目＋一＋八＝□→□
2. マ＋冖＋亅＝□→□
3. 亻＋丶＋王＝□→□
4. 亻＋一＋糸＝□→□
5. 亻＋立＋口＝□→□
6. 一＋冂＋山＝□→□
7. ノ＋冂＋口＝□→□
8. 女＋ム＋口＝□→□

＊こたえの漢字でことばをつくろう。

出来栄《できば》えは？↓

完璧《かんぺき》

惜《お》しい

残念《ざんねん》

58

3年
<2>

漢字たしざん②

名前

＊漢字のたしざんをしよう！

1. 宀 ＋ 夂 ＋ 口 ＝ □ ↓ □
2. 宀 ＋ 亻 ＋ 百 ＝ □ ↓ □
3. 宀 ＋ 三 ＋ 人 ＝ □ ↓ □
4. 山 ＋ 厂 ＋ 干 ＝ □ ↓ □
5. 彳 ＋ 几 ＋ 又 ＝ □ ↓ □
6. 艹 ＋ 世 ＋ 木 ＝ □ ↓ □
7. 冖 ＋ 車 ＋ 辶 ＝ □ ↓ □
8. 阝 ＋ 宀 ＋ 元 ＝ □ ↓ □

＊こたえの漢字でことばをつくろう。

出来栄《できば》えは？
↓

完璧《かんぺき》

惜《お》しい

残念《ざんねん》

59

3年

＜2＞

漢字たしざん③

名前

＊漢字のたしざんをしよう！

1. ク ＋ ヨ ＋ 心 ＝ □ → □

2. 立 ＋ 日 ＋ 心 ＝ □ → □

3. 木 ＋ 目 ＋ 心 ＝ □ → □

4. 扌 ＋ 八 ＋ 又 ＝ □ → □

5. 扌 ＋ ヒ ＋ 日 ＝ □ → □

6. 方 ＋ 𠂉 ＋ 矢 ＝ □ → □

7. 日 ＋ 刀 ＋ 口 ＝ □ → □

8. 日 ＋ 耂 ＋ 日 ＝ □ → □

＊こたえの漢字でことばをつくろう。

出来栄《できば》えは？
↓

完璧《かんぺき》

惜《お》しい

残念《ざんねん》

60

3年

＜2＞

漢字たしざん④

名前

＊漢字のたしざんをしよう！

1. 氵＋日＋皿＝□

2. 氵＋ユ＋人＝□

3. 八＋一＋口＋卩＝□

4. 宀＋口＋ノ＋口＝□

5. 艹＋氵＋夂＋口＝□

6. 扌＋八＋一＋口＝□

7. 木＋十＋目＋乚＝□

8. 木＋廿＋由＋八＝□

＊こたえの漢字でことばをつくろう。

出来栄《できば》えは？↓

完璧《かんぺき》

惜《お》しい

残念《ざんねん》

61

3年

＜3＞

読み方を考えて①

名前

＊漢字と読み方を書こう！

ぬし おも	□	シュ

これが□（　）なメンバーです。

この犬のかい□（　）が□（　）人公です。

の(る)	□	ジョウ

自転車に□（　）って公園に行く。

大きな□（　）り物の□（　）客たち。

こと	□	ジ

この□（　）は大□（　）なのでおぼえておく。

道路工□（　）で、力仕□（　）をする。

か(わる)	□	ダイ

母の□（　）わりに□（　）金をはらう。

父親の少年時□（　）の話を聞く。

出来栄《できば》えは？
↓

完璧《かんぺき》

惜《お》しい

残念《ざんねん》

62

3年

＜3＞

読み方を考えて②

名前

＊漢字と読み方を書こう！

つか（う）　□　シ

トイレが□（　）用きん止で□（　）えない。

まっ白な天□（　）の羽。

うつ（す）　□　シャ

家族で□（　）真を□（　）す。

書□（　）の時間に、黒板の字を□（　）す。

うご（く）　□　ドウ

大きな□（　）物がゆっくり□（　）く。

りっぱな行□（　）に感□（　）する。

そ（らす）　□　ハン

体を□（　）らして□（　）対がわを見る。

□（　）そくばかりして□（　）感をかう。

出来栄《できば》えは？

↓

完璧《かんぺき》

惜《お》しい

残念《ざんねん》

63

3年
<3>

読み方を考えて③

名前

＊漢字と読み方を書こう！

あじ（わう）　ミ　□	しな　ヒン　□	やす（い）　アン　□	さだ（める）　テイ　□
□（　）見をして、調□（　）りょうを入れる。	店の商□（　）が□（　）切れになる。	ここの野さいは□（　）くて□（　）全です。	まとの中心にねらいを□（　）める。
知らないことばの意□（　）を考える。	この店は、日用□（　）の□（　）数が多い。	ねだんが□（　）いけれども□（　）心な品物。	店の□（　）休日の予□（　）を見る。

出来栄《できば》えは？ ↓

完璧《かんぺき》

惜《お》しい

残念《ざんねん》

64

3年
＜3＞

読み方を考えて④

名前

＊漢字と読み方を書こう！

しま　トウ	たい(ら)　ひら　ヘイ　ビョウ	しあわ(せ)　さち　コウ	にわ　テイ
□	□	□	□

大きな半□（　）から、小さな□（　）を見る。

日本列□（　）で一番大きな□（　）。

□（　）らな場所に□（　）屋をたてる。

この国は□（　）等で□（　）和な国だ。

□（　）運の女神から□（　）せをもらう。

海の□（　）、山の□（　）がゆたかだ。

□（　）園にみごとな□（　）木がならぶ。

校□（　）と中□（　）でかくれんぼをする。

出《で》来《き》栄《ば》えは？
↓

完璧《かんぺき》

惜《お》しい

残念《ざんねん》

65

3年
<3>

読み方を考えて⑤

名前

＊漢字と読み方を書こう！

くすり　□　ヤク

目□（　）を買うために□（　）局に行く。

□（　）草をつぶして、きず□（　）を作る。

はや（い）　□　ソク

この川はとても流れが□（　）い。

高□（　）道路を時□（　）百キロで走る。

あそ（ぶ）　□　ユウ

公園の□（　）具で□（　）んだ。

家族で□（　）園地に□（　）びに行った。

わる（い）　□　アク

顔色の□（　）い□（　）人がいる。

□（　）者が□（　）事をはたらく。

出来栄《できば》えは？
↓

完璧《かんぺき》

惜《お》しい

残念《ざんねん》

66
3年
＜3＞

読み方を考えて⑥

名前

＊漢字と読み方を書こう！

くら(い) □ アン	ま(がる) □ キョク	はし □ キョウ	なら(う) □ シュウ

うす□（　）い部屋で九九を□（　）記する。

□（　）雲がたちこめて真っ□（　）になった。

□（　）がったぼうで地面に□（　）線をかく。

有名な作□（　）家が行進□（　）を作る。

鉄□（　）の□（　）げたの工事をしている。

歩道□（　）の上から大きな□（　）が見える。

土曜日に□（　）字を□（　）っている。

□（　）った漢字を五回、練□（　）する。

出《で》来《き》栄《ば》えは？
↓
完璧《かんぺき》
惜《お》しい
残念《ざんねん》

67

3年

＜4＞

つながる漢字はどれだ①

名前

＊ことばになる漢字をつなごう！

世	仕	全	勉	勝	化	横	他
・	・	・	・	・	・	・	・
・	・	・	・	・	・	・	・
員	界	負	事	学	強	人	丁
↓	↓	↓	↓	↓	↓	↓	↓
（　）	（　）	（　）	（　）	（　）	（　）	（　）	（　）

＊読み方

出《で》来《き》栄《ば》えは？

↓

完璧《かんぺき》

惜《お》しい

残念《ざんねん》

68
3年
＜4＞

つながる漢字はどれだ②

名前

＊ことばになる漢字をつなごう！

医	助	去	平	商	問	坂	記
手	和	道	者	号	年	題	店

＊読み方

出《で》来《き》栄《ば》えは？

↓

完璧《かんぺき》

惜《お》しい

残念《ざんねん》

69

3年

<4>

つながる漢字はどれだ③

名前

＊ことばになる漢字をつなごう！

委	薬	中	車	苦	荷	太	部
・	・	・	・	・	・	・	・
・	・	・	・	・	・	・	・
央	手	陽	員	局	庫	分	物
↓	↓	↓	↓	↓	↓	↓	↓

＊読み方

出来栄《できば》えは？

↓

完璧《かんぺき》

惜《お》しい

残念《ざんねん》

70

3年
<4>

つながる漢字はどれだ④

名前

＊ことばになる漢字をつなごう！

感・　整・　昔・　有・　学・　黒・　作・　球・

・理　・想　・名　・板　・話　・根　・期　・業

↓ ↓ ↓ ↓ ↓ ↓ ↓ ↓

＊読み方

出来栄《できば》えは？
↓

完璧《かんぺき》

惜《お》しい

残念《ざんねん》

71

3年

<4>

つながる漢字はどれだ⑤

名前

＊ことばになる漢字をつなごう！

電	様	水	注	石	洋	深	神
泳	油	柱	子	海	意	社	服

＊読み方

出来栄《できば》えは？

↓

完璧《かんぺき》

惜《お》しい

残念《ざんねん》

72

3年

<4>

つながる漢字はどれだ⑥

名前

＊ことばになる漢字をつなごう！

自	登	毛	相	写	漢	童	筆
皮	字	談	校	由	話	箱	真

＊読み方

出来栄《できば》えは？

↓

完璧《かんぺき》

惜《お》しい

残念《ざんねん》

73
3年
<5>

たりないのはどこ〈形をよく見て〉①

名前

＊たりないところをみつけて、正しく書こう。

① 地《ち》区《く》 →
② 取《とり》組《くみ》 →
③ 君《くん》主《しゅ》 →
④ 死《し》守《しゅ》 →
⑤ 寒《かん》波《ぱ》 →
⑥ 木《ほん》川《しゅう》 →
⑦ 洋《よう》式《しき》 →
⑧ 送《そう》球《きゅう》 →
⑨ 追《つい》想《そう》 →
⑩ 階《かい》級《きゅう》 →
⑪ 鼻《はな》息《いき》 →
⑫ 悲《ひ》運《うん》 →

出来栄《できば》えは？ ↓

完璧《かんぺき》

惜《お》しい

残念《ざんねん》

74
3年
＜5＞

たりないのはどこ〈形をよく見て〉②

名前

＊たりないところをみつけて、正しく書こう。

① 所持《しょじ》 ↓ □

② 流水《りゅうひょう》 ↓ □

③ 消去《しょうきょ》 ↓ □

④ 湖面《こめん》 ↓ □

⑤ 調整《ちょうせい》 ↓ □

⑥ 開港《かいこう》 ↓ □

⑦ 薬湯《やくとう》 ↓ □

⑧ 練炭《れんたん》 ↓ □

⑨ 答中《とうしん》 ↓ □

⑩ 人口《おおざら》 ↓ □

⑪ 県花《けんか》 ↓ □

⑫ 祭礼《さいれい》 ↓ □

出来栄《できば》えは？
↓
完璧《かんぺき》
惜《お》しい
残念《ざんねん》

75

3年

＜5＞

たりないのはどこ〈形をよく見て〉③

名前

＊たりないところをみつけて、正しく書こう。

① 幸《こう》福《ふく》 ↓ □

② 楽《がく》章《しょう》 ↓ □

③ 落《らく》第《だい》 ↓ □

④ 横《よこ》笛《ぶえ》 ↓ □

⑤ 等《とう》級《きゅう》 ↓ □

⑥ 終《しゅう》着《ちゃく》 ↓ □

⑦ 新《しん》緑《りょく》 ↓ □

⑧ 羊《よう》毛《もう》 ↓ □

⑨ 美《び》味《み》 ↓ □

⑩ 教《きょう》育《いく》 ↓ □

⑪ 鼻《はな》血《ぢ》 ↓ □

⑫ 表《ひょう》面《めん》 ↓ □

出来栄《できば》えは？

↓

完璧《かんぺき》

惜《お》しい

残念《ざんねん》

76

3年 ＜5＞

たりないのはどこ〈形をよく見て〉④

名前

＊たりないところをみつけて、正しく書こう。

① 詩《し》集《しゅう》 ↓

② 黒《くろ》豆《まめ》 ↓

③ 身《み》軽《がる》 ↓

④ 農《のう》家《か》 ↓

⑤ 重《じゅう》病《びょう》 ↓

⑥ 銀《ぎん》行《こう》 ↓

⑦ 歯《し》科《か》 ↓

⑧ 勉《べん》強《きょう》 ↓

⑨ 勝《しょう》負《ぶ》 ↓

⑩ 門《もん》題《だい》 ↓

⑪ 菜《やっ》局《きょく》 ↓

⑫ 感《かん》想《そう》 ↓

出来栄《できば》えは？ ↓

完璧《かんぺき》

惜《お》しい

残念《ざんねん》

77

3年
＜6＞

漢字を入れよう⑦

名前

＊文を読んで、ぴったりの漢字を入れよう。

・秋になると、木の□が色づく。

・リスは、ドングリなどの木の□が大すきです。

・人の多い場□に出かける。

・お父さんと、高い山に□った。

・遠足に行って、全員で□真をとった。

・手紙をポストに入れて、友だちに□った。

・手をあげて、自分の□見を言いましょう。

〈ヒント〉
・意　・葉　・送　・実　・写　・所　・登

出来栄《できば》えは？↓

完璧《かんぺき》

惜《お》しい

残念《ざんねん》

78

3年

＜6＞

漢字を入れよう②

名前

＊文を読んで、ぴったりの漢字を入れよう。

・明日は遠足なので、朝早く□きる。

・夏休みに、家族で□行に出かけた。

・頭がいたかったので、□をのんだ。

・ゾウの□は、長くてべんりです。

・母が、家の□に、花を植えている。

・今日は、いつもより五分早く学校に□いた。

・お父さんの□事は、けいさつかんだ。

〈ヒント〉

・仕　・起　・着　・旅　・庭　・薬　・鼻

出来栄《できば》えは？ ↓

完璧《かんぺき》

惜《お》しい

残念《ざんねん》

79
3年
＜6＞

漢字を入れよう③

名前

＊文を読んで、ぴったりの漢字を入れよう。

・グループで調べたことを□表する。

・算数の問□を読んで、式を立てる。

・チャイムが鳴ると、四時間目が□わる。

・線を引くのに、ものさしを□う。

・この道具は、とても□に立つ。

・けんかになった理□を、先生に話す。

・親切にしてもらったので、お□を言う。

〈ヒント〉
・礼　・発　・由　・題　・役　・終　・使

出来栄《できば》えは？ ↓

完璧《かんぺき》

惜《お》しい

残念《ざんねん》

80

3年
＜6＞

漢字を入れよう④

名前

＊文を読んで、ぴったりの漢字を入れよう。

・少年野□チームのピッチャーになる。

・友だちの家の電話番□をおぼえる。

・温かくなるまで、体を□かしましょう。

・今朝の気温は一□で、とても寒かった。

・赤色の電車が□に止まっている。

・学校から帰って、友だちと公園で□んだ。

・ここは湖があって、けしきが□しい。

〈ヒント〉
・美・球・遊・号・駅・動・度

出来栄《できば》えは？↓

完璧《かんぺき》

惜《お》しい

残念《ざんねん》

81

3年 ＜6＞

漢字を入れよう⑤

名前

＊文を読んで、ぴったりの漢字を入れよう。

・お母さんが□行で、お金をおろす。

・休み時間に、体そう□に着がえる。

・思い切り走ったので、□が切れた。

・日がくれて、だんだん□くなってきた。

・病気になったので、お□者さんにみてもらう。

・先生にたのまれて、プリントを□る。

・黒□に、チョークで字を書く。

〈ヒント〉
・板 ・銀 ・配 ・服 ・医 ・息 ・暗

出来《でき》栄《ば》えは？ ↓

完璧《かんぺき》

惜《お》しい

残念《ざんねん》

82

3年

<6>

漢字を入れよう⑥

名前

＊文を読んで、ぴったりの漢字を入れよう。

・大きな白い客船が、□にとまっている。

・ぼくの兄は、切手を□めている。

・運動会は、五点さで赤組が□った。

・わたしは、ひこうきに□ったことがある。

・今年の夏は、とても□い。

・かみなりが鳴って、とつぜん電気が□えた。

・漢字をおぼえるのに、十回□習した。

〈ヒント〉

・練　・港　・消　・集　・暑　・勝　・乗

出来栄《できば》えは？↓

完璧《かんぺき》

惜《お》しい

残念《ざんねん》

51

- 畑《はた・はたけ》　花畑《はなばたけ》が広《ひろ》がる
- 次《つぎ・ジ》　次《つぎ》の電車《でんしゃ》が来《く》る
- 打《う(つ)・ダ》　打《う》ち上《あ》げ花火《はなび》
- 物《もの・ブツ》　海《うみ》の魚《さかな》の物語《ものがたり》
- 駅《エキ》　駅前《えきまえ》のお店《みせ》
- 鉄《テツ》　地下鉄《ちかてつ》の入口《いりぐち》

52

- 待《ま(つ)・タイ》　駅《えき》の待合室《まちあいしつ》
- 秒《ビョウ》　時間《じかん》は十秒《じゅうびょう》
- 転《ころ(ぶ)・テン》　黄色《きいろ》の自転車《じてんしゃ》
- 館《やかた・カン》　図書館《としょかん》の館長《かんちょう》
- 研《ケン》　理科《りか》の研究《けんきゅう》
- 礼《レイ》　姉《あね》にお礼《れい》を言《い》う

53

- 旅《たび・リョ》　夏《なつ》の旅行《りょこう》
- 短《みじか(い)・タン》　毛糸《けいと》を短《みじか》く切《き》る
- 所《ところ・ショ》　広《ひろ》い場所《ばしょ》に立《た》つ
- 帳《チョウ》　父《ちち》の黒《くろ》い手帳《てちょう》
- 路《じ・ロ》　家《いえ》の前《まえ》の道路《どうろ》
- 酒《さけ・シュ》　米《こめ》から酒《さけ》を作《つく》る

54

- 服《フク》　赤《あか》い色《いろ》の服《ふく》
- 究《キュウ》　大学《だいがく》の研究室《けんきゅうしつ》
- 受《う(ける)・ジュ》　受《う》け答《こた》え
- 発《ハツ》　電車《でんしゃ》が出発《しゅっぱつ》する
- 病《やまい・ビョウ》　病気《びょうき》で休《やす》む
- 屋《や・オク》　学校《がっこう》の屋上《おくじょう》

ポイント

『打つ』は手で持って打つから『てへん』というように、部首の意味にも注目して書いていけるように支援してください。思い出しにくい場合には、「漢字パーツ」表を見せて、いくつかの中から選ばせることも有効な支援です。

Column 4

同じ音（読み）の漢字の誤り

同じ音（読み）の漢字の誤りは「同音異字」と呼ばれます。（訓読みの場合は「同訓異字」とも呼ばれることもありますが、ここでは音訓両方含めています。）

意味的にも近いと、「会う→合う」「多い→大い」などは通常の子どもでも間違いが起こりやすくなります。熟語では「神話→新話」のように一方の漢字を間違うことが多く、「助詞→女子」のような熟語全体の誤りはまれです。

このような誤りを頻繁に起こす子どもは、漢字の三要素のうち「意味」の部分がしっかり覚えられていません。漢字を覚えるときに、形の方に注目しすぎているのかもしれません。また、広汎性発達障害（自閉症スペクトラム障害）の子どもは意味理解よりも抽象的な形の処理の方が優れているために、「同音異字」の誤りを起こしやすくなります。

このような誤りの多い子どもには、漢字を覚える際に部首の意味（「さんずい」は水に関係するなど）に注目させたり、絵と漢字を対応させたりしながら、漢字の「意味」を意識できるような練習をさせるとよいでしょう。

解答　3年〈1〉　かくれたパーツをさがせ

ポイント

漢字の部首には、偏（へん）だけでなく旁（つくり）の方にも意味があります。「欠（あくび）」には「大きく口を開ける」の意味があります。これがわかると「飲」の漢字も覚えやすくなります。

部首の意味について興味を持たせることが、漢字を覚える手がかりのひとつになります。

55

度《ド》	者《もの・シャ》	返《かえ(す)・ヘン》	起《お(きる)・キ》	対《タイ》	放《はな(す)・ホウ》
二本《にほん》の線《せん》の角度《かくど》	教室《きょうしつ》の人気者《にんきもの》	図書《としょ》を返《かえ》す	母《はは》が弟《おとうと》を起《お》こす	図形《ずけい》の対角線《たいかくせん》	空《そら》に鳥《とり》を放《はな》す

56

列《レツ》	題《ダイ》	都《みやこ・ト》	進《すす(む)・シン》	飲《の(む)・イン》	配《くば(る)・ハイ》
長《なが》い行列《ぎょうれつ》	新《あたら》しい本《ほん》の題名《だいめい》	京都《きょうと》のお寺《てら》	少《すこ》し前《まえ》へ進《すす》む	水道《すいどう》の水《みず》を飲《の》む	天気《てんき》を心配《しんぱい》する

ポイント

部首は筆順通りに並んでいるので、書くときのヒントにしてください。

わかりにくい場合には、口を点線で区切って配置のヒントを出してあげてください。

漢字を書いた後に、『にんべん』の横に『立つ』『口』で『ばい』のように式と答えを唱えさせるとよいでしょう。「＊こたえの漢字でことばをつくろう。」は例を挙げました。

57

＊漢字のたしざんをしよう！

1. 目＋一＋八＝具 → 道具
2. マ＋一＋亅＝予 → 予定
3. イ＋丶＋王＝住 → 住所
4. イ＋ノ＋糸＝係 → 図書係
5. イ＋立＋口＝倍 → 倍数
6. 一＋冂＋山＝両 → 両手
7. ノ＋冂＋口＝向 → 方向
8. 女＋ム＋口＝始 → 開始

＊こたえの漢字でことばをつくろう。

58

＊漢字のたしざんをしよう！

1. 宀＋夂＋口＝客 → 客船
2. 宀＋イ＋百＝宿 → 宿題
3. 宀＋三＋人＝実 → 木の実
4. 山＋厂＋干＝岸 → 海岸
5. 彳＋几＋又＝役 → 役場
6. 艹＋世＋木＝葉 → 落ち葉
7. 冖＋車＋辶＝運 → 運動会
8. 阝＋宀＋元＝院 → 病院

＊こたえの漢字でことばをつくろう。

59

＊漢字のたしざんをしよう！

1. ク＋ヨ＋心＝急 → 急用
2. 立＋日＋心＝意 → 意見
3. 木＋目＋心＝想 → 空想
4. 扌＋几＋又＝投 → 投手
5. 扌＋ヒ＋日＝指 → 親指
6. 方＋𠂉＋矢＝族 → 家族
7. 日＋刀＋口＝昭 → 昭和
8. 日＋耂＋日＝暑 → 暑い日

＊こたえの漢字でことばをつくろう。

60

＊漢字のたしざんをしよう！

1. 氵＋日＋皿＝温 → 体温
2. 氵＋ユ＋人＝決 → 決心
3. 人＋一＋口＋卩＝命 → 生命
4. 宀＋口＋ノ＋口＝宮 → お宮
5. 艹＋氵＋夂＋口＝落 → 落下
6. 扌＋人＋一＋口＝拾 → 拾い物
7. 木＋十＋目＋乚＝植 → 植物
8. 木＋廿＋由＋八＝横 → 横顔

＊こたえの漢字でことばをつくろう。

ポイント

漢字には音読み、訓読みの複数の読み方があり、読み方は文脈によって決まります。文をしっかり読み、文脈に合う読み方を考えるよう支援して下さい。「事（こと）」が「仕事（しごと）」のように濁音化する場合があることにも注意させましょう。

61

＊漢字と読み方を書こう！

- 主（ぬし・おも／シュ）
  - これが主《おも》なメンバーです。
  - この犬のかい主《ぬし》が主《しゅ》人公です。
- 乗（の（る）／ジョウ）
  - 自転車に乗《の》って公園に行く。
  - 大きな乗《の》り物の乗《じょう》客たち。
- 事（こと／ジ）
  - この事《こと》は大事《じ》なのでおぼえておく。
  - 道路工事《じ》で、力仕事《ごと》をする。
- 代（か（わる）／ダイ）
  - 母の代《か》わりに代《だい》金をはらう。
  - 父親の少年時代《だい》の話を聞く。

62

３年③　読み方を考えて②　名前

＊漢字と読み方を書こう！

- 使（つか（う）／シ）
  - トイレが使《し》用きん止で使《つか》えない。
  - まっ白な天使《し》の羽。
- 写（うつ（す）／シャ）
  - 家族で写《しゃ》真を写《うつ》す。
  - 書写《しゃ》の時間に、黒板の字を写《うつ》す。
- 動（うご（く）／ドウ）
  - 大きな動《どう》物がゆっくり動《うご》く。
  - りっぱな行動《どう》に感動《どう》する。
- 反（そ（らす）／ハン）
  - 体を反《そ》らして反《はん》対がわを見る。
  - 反《はん》そくばかりして反《はん》感をかう。

どうだった？↓　かんたん　ふつう　むずかしい

63

＊漢字と読み方を書こう！

- 味（あじ（わう）／ミ）
  - 味《あじ》見をして、調味《み》りょうを入れる。
  - 知らないことばの意味《み》を考える。
- 品（しな／ヒン）
  - 店の商品《ひん》が品《しな》切れになる。
  - この店は、日用品《ひん》の品《しな》数が多い。
- 安（やす（い）／アン）
  - ここの野さいは安《やす》くて安《あん》全です。
  - ねだんが安《やす》いけれども安《あん》心な品物。
- 定（さだ（める）／テイ）
  - まとの中心にねらいを定《さだ》める。
  - 店の定《てい》休日の予定《てい》を見る。

64

＊漢字と読み方を書こう！

- 島（しま／トウ）
  - 大きな半島《とう》から、小さな島《しま》を見る。
  - 日本列島《とう》で一番大きな島《しま》。
- 平（たい（ら）・ひら／ヘイ・ビョウ）
  - 平《たい》らな場所に平《ひら》屋をたてる。
  - この国は平《びょう》等で平《へい》和な国だ。
- 幸（しあわ（せ）・さち／コウ）
  - 幸《こう》運の女神から幸《しあわ》せをもらう。
  - 海の幸《さち》、山の幸《さち》がゆたかだ。
- 庭（にわ／テイ）
  - 庭《てい》園にみごとな庭《にわ》木がならぶ。
  - 校庭《てい》と中庭《にわ》でかくれんぼをする。

Column 5

意味の似ている漢字の誤り

意味の似ている漢字の誤りとは、「店で牛（にく）を買う。」や「秋から雪（ふゆ）にきせつがかわる。」のような間違いです。「肉→牛」「冬→雪」のように、意味的に関連のある漢字を思い出してしまう誤りです。

熟語では、「先生→生先」「京都→都京・東京」のように漢字の前後が入れ替わったり、意味的に似ている別の熟語になったりもします。

このような誤りをする子どもは、漢字の三要素のうち「音」の部分がしっかり覚えられていません。つまり、読みの苦手な子どもに起こりやすいと言えます。

音韻的な弱さを持つ「読み書き障害（ディスレクシア）」タイプの子どもでは、漢字の読みを覚えるのが苦手なために、低学年でこのような間違いを多く起こします。また、学年が上がり覚える漢字が多くなると、読みから漢字が思い出しにくいということにつながってきます。

対応としては、漢字練習のときに必ず読みを唱えながら書く練習をすることや、文章の中で漢字や熟語を読んでいく練習をしっかりさせることが大切です。また、意味から覚えていくことには優れているため、漢字の「なかまあつめ」など、意味のつながりで漢字を覚えていくことも有効です。

解答　3年〈3〉　読み方を考えて

ポイント

漢字によっては複数の音読み・訓読みを持つものがあります。「平」の音読みは「ヘイ・ビョウ」の2種類があります。「平和・平等」がそれぞれ正しく読めるためには、語いとしてことばと意味を知っておく必要があります。

65

＊漢字と読み方を書こう！

薬　くすり　ヤク

目薬《ぐすり》を買うために薬《やっ》局に行く。

薬《やく》草をつぶして、きず薬《ぐすり》を作る。

速　はや（い）　ソク

この川はとても流れが速《はや》い。

高速《そく》道路を時速《そく》百キロで走る。

遊　あそ（ぶ）　ユウ

公園の遊《ゆう》具で遊《あそ》んだ。

家族で遊《ゆう》園地に遊《あそ》びに行った。

悪　わる（い）　アク

顔色の悪《わる》い悪《あく》人がいる。

悪《わる》者が悪《あく》事をはたらく。

66

＊漢字と読み方を書こう！

暗　くら（い）　アン

うす暗《ぐら》い部屋で九九を暗《あん》記する。

暗《あん》雲がたちこめて真っ暗《くら》になった。

曲　ま（がる）　キョク

曲《ま》がったぼうで地面に曲《きょく》線をかく。

有名な作曲《きょく》家が行進曲《きょく》を作る。

橋　はし　キョウ

鉄橋《きょう》の橋《はし》げたの工事をしている。

歩道橋《きょう》の上から大きな橋《はし》が見える。

習　なら（う）　シュウ

土曜日に習《しゅう》字を習《なら》っている。

習《なら》った漢字を五回、練習《しゅう》する。

解答　3年〈4〉　つながる漢字はどれだ

ポイント

わかりにくいときには、読み方のヒントを出す前に、「仕事（お父さんは会社で何をしている）」のように意味のヒントを出してあげてください。

読みの苦手な子どもには、読み方を隠して、漢字熟語だけでもう一度読みの練習をさせるとよいでしょう。

67

＊ことばになる漢字をつなごう！

世　仕　全　勉　勝　化　横　他

員　界　負　事　学　強　人　丁

＊読み方

全員（ぜんいん）
世界（せかい）
勝負（しょうぶ）
仕事（しごと）
化学（かがく）
勉強（べんきょう）
他人（たにん）
横丁（よこちょう）

68

＊ことばになる漢字をつなごう！

医　助　去　平　商　問　坂　記

手　和　道　者　号　年　題　店

＊読み方

助手（じょしゅ）
平和（へいわ）
坂道（さかみち）
医者（いしゃ）
記号（きごう）
去年（きょねん）
問題（もんだい）
商店（しょうてん）

69

＊ことばになる漢字をつなごう！

委　薬　中　車　苦　荷　太　部

央　手　陽　員　局　庫　分　物

＊読み方

中央（ちゅうおう）
苦手（にがて）
太陽（たいよう）
委員（いいん）
薬局（やっきょく）
車庫（しゃこ）
部分（ぶぶん）
荷物（にもつ）

70

＊ことばになる漢字をつなごう！

感　整　昔　有　学　黒　作　球

理　想　名　板　話　根　期　業

＊読み方

整理（せいり）
感想（かんそう）
有名（ゆうめい）
黒板（こくばん）
昔話（むかしばなし）
球根（きゅうこん）
学期（がっき）
作業（さぎょう）

Column 6

形の誤り

漢字の誤りパターンの３つ目は「形の誤り」です。「形の誤り」にはいくつかのパターンがあると考えています。

①形態的類似字

「教える→考える」「道→遠」のように形が似ている違う字に書き間違えるパターンです。「親友→新友」のように読みも似ていると間違うことが多くなります。

②部分的な形の誤り

“線が一本足りない”“余分な線が突き出ている”のような漢字の形の部分的な誤りです。

③全体的な形の誤り

漢字の部首の一部が別の字になっていたり、形が大きく歪んで存在しない字になっているような場合です。

④部首の配置の誤り

“偏と旁が逆になる”“部首の位置関係がおかしい”などの部首の配置の誤りです。

「形の誤り」の背景には、「空間認知の弱さ」「不注意」「不器用」「視機能の弱さ」など、いくつかの要因が考えられます。子どもの他の情報と考え合わせて支援の方法を考えていくことが必要です。

解答　３年〈４〉　つながる漢字はどれだ

ポイント

全部の熟語が書けたら、できた熟語を説明させたり、熟語を使った文作りにつなげたりすることもできます。

漢字や熟語が読めたり書けたりするだけでなく、意味とつなげていくことが大切です。

71

＊ことばになる漢字をつなごう！

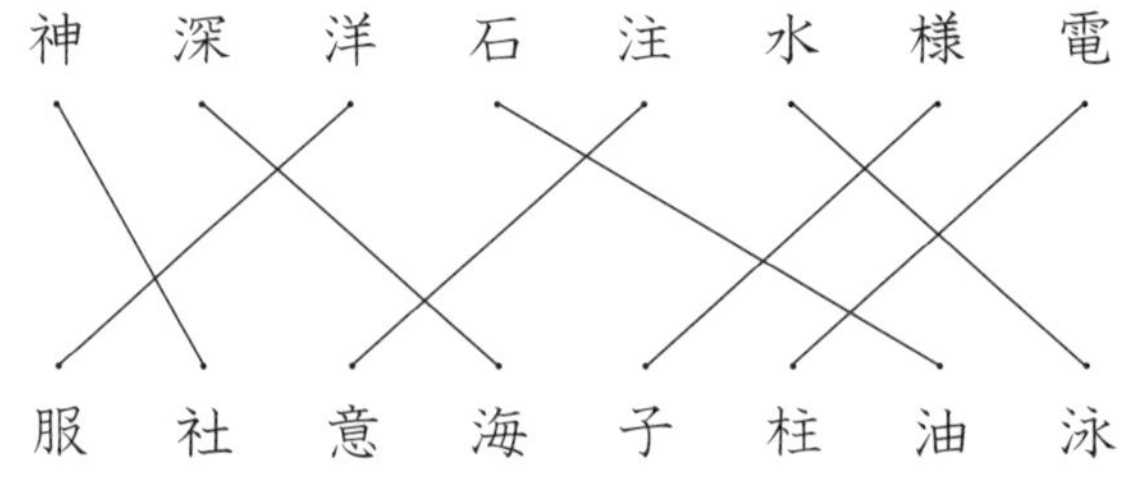

＊読み方

洋服《ようふく》　神社《じんじゃ》　注意《ちゅうい》　深海《しんかい》　様子《ようす》　電柱《でんちゅう》　石油《せきゆ》　水泳《すいえい》

72

＊ことばになる漢字をつなごう！

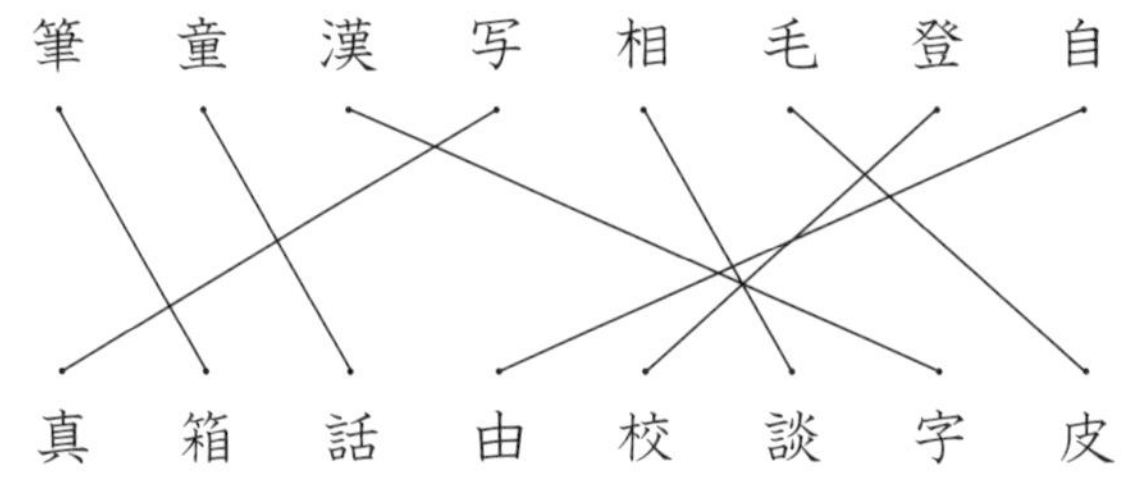

＊読み方

写真《しゃしん》　筆箱《ふでばこ》　童話《どうわ》　自由《じゆう》　登校《とうこう》　相談《そうだん》　漢字《かんじ》　毛皮《けがわ》

73

＊たりないところをみつけて、正しく書こう。

① 地《ち》匚《く》→地区
② 取《と》組《くみ》→取組
③ 君《くん》主《しゅ》→君主
④ 死《し》守《しゅ》→死守
⑤ 寒《かん》波《ぱ》→寒波
⑥ 木《ほん》川《しゅう》→本州
⑦ 汗《よう》式《しき》→洋式
⑧ 送《そう》球《きゅう》→送球
⑨ 追《つい》想《そう》→追想
⑩ 階《かい》級《きゅう》→階級
⑪ 鼻《はな》息《いき》→鼻息
⑫ 悲《ひ》連《うん》→悲運

74

＊たりないところをみつけて、正しく書こう。

① 所《しょ》持《じ》→所持
② 流《りゅう》水《ひょう》→流氷
③ 消《しょう》去《きょ》→消去
④ 湖《こ》面《めん》→湖面
⑤ 調《ちょう》整《せい》→調整
⑥ 開《かい》港《こう》→開港
⑦ 菓《やく》湯《とう》→薬湯
⑧ 練《れん》炭《たん》→練炭
⑨ 答《とう》中《しん》→答申
⑩ 人《おお》口《ざら》→大皿
⑪ 県《けん》花《か》→県花
⑫ 祭《さい》礼《れい》→祭礼

75

＊たりないところをみつけて、正しく書こう。

① 幸《こう》福《ふく》→幸福
② 楽《がく》章《しょう》→楽章
③ 落《らく》第《だい》→落第
④ 横《よこ》笛《ぶえ》→横笛
⑤ 等《とう》級《きゅう》→等級
⑥ 終《しゅう》着《ちゃく》→終着
⑦ 新《しん》緑《りょく》→新緑
⑧ 羊《よう》毛《もう》→羊毛
⑨ 美《び》味《み》→美味
⑩ 教《きょう》育《いく》→教育
⑪ 鼻《はな》皿《ぢ》→鼻血
⑫ 表《ひょう》面《めん》→表面

76

＊たりないところをみつけて、正しく書こう。

① 詩《し》集《しゅう》→詩集
② 黒《くろ》豆《まめ》→黒豆
③ 身《み》軽《がる》→身軽
④ 農《のう》家《か》→農家
⑤ 重《じゅう》病《びょう》→重病
⑥ 銀《ぎん》行《こう》→銀行
⑦ 歯《し》科《か》→歯科
⑧ 免《べん》強《きょう》→勉強
⑨ 勝《しょう》負《ぶ》→勝負
⑩ 門《もん》題《だい》→問題
⑪ 菜《やっ》局《きょく》→薬局
⑫ 感《かん》想《そう》→感想

ポイント

熟語の漢字の両方に足りない部分があります。線の数や細かい部分にも注意させてください。読みの苦手な子どもには、自分で書いた熟語だけを見せて、読みの練習もさせるとよいでしょう。子どもによっては知らない熟語も含まれています。子どもに意味を説明させたり、どんな風に使われるかの例を示してあげることも語いを増やしていくことにつながります。

※74「答申（とうしん）」—下線部は小学校では習わない読み方です。

77

＊文を読んで、ぴったりの漢字を入れよう。

・秋になると、木の**葉**が色づく。
・リスは、ドングリなどの木の**実**が大すきです。
・人の多い場**所**に出かける。
・お父さんと、高い山に**登**った。
・遠足に行って、全員で**写**真をとった。
・手紙をポストに入れて、友だちに**送**った。
・手をあげて、自分の**意**見を言いましょう。

〈ヒント〉
・意　・葉　・送　・実　・写　・所　・登

78

＊文を読んで、ぴったりの漢字を入れよう。

・明日は遠足なので、朝早く**起**きる。
・夏休みに、家族で**旅**行に出かけた。
・頭がいたかったので、**薬**をのんだ。
・ゾウの**鼻**は、長くてべんりです。
・母が、家の**庭**に、花を植えている。
・今日は、いつもより五分早く学校に**着**いた。
・お父さんの**仕**事は、けいさつかんだ。

〈ヒント〉
・仕　・起　・着　・旅　・庭　・薬　・鼻

79

＊文を読んで、ぴったりの漢字を入れよう。

・グループで調べたことを**発**表する。
・算数の問**題**を読んで、式を立てる。
・チャイムが鳴ると、四時間目が**終**わる。
・線を引くのに、ものさしを**使**う。
・この道具は、とても**役**に立つ。
・けんかになった理**由**を、先生に話す。
・親切にしてもらったので、お**礼**を言う。

〈ヒント〉
・礼　・発　・由　・題　・役　・終　・使

80

＊文を読んで、ぴったりの漢字を入れよう。

・少年野**球**チームのピッチャーになる。
・友だちの家の電話番**号**をおぼえる。
・温かくなるまで、体を**動**かしましょう。
・今朝の気温は一**度**で、とても寒かった。
・赤色の電車が**駅**に止まっている。
・学校から帰って、友だちと公園で**遊**んだ。
・ここは湖があって、けしきが**美**しい。

〈ヒント〉
・美　・球　・遊　・号　・駅　・動　・度

ポイント

ワークの左端には、□に入る漢字をヒントとして載せています。はじめはヒントの部分を折って、見ないで書かせましょう。また、漢字が苦手な子にはヒントを見せて選んで書く練習をするなど、子どものつまずきに合わせて使い分けてください。

解答　3年〈6〉　漢字を入れよう

ポイント

このワークでは、□に入る漢字の読み方が書かれていません。□の前後の文をしっかり読んで、どんな意味のことば（漢字）が適切か考えさせてください。わかりにくいときには、「暑い↓寒いの反対は」のように、読み方ではなく、意味のヒントを出して考えさせましょう。また、漢字が思い出せないときは、「～へん」など形のヒントが有効です。

81

＊文を読んで、ぴったりの漢字を入れよう。

・お母さんが**銀**行で、お金をおろす。
・休み時間に、体そう**服**に着がえる。
・思い切り走ったので、**息**が切れた。
・日がくれて、だんだん**暗**くなってきた。
・病気になったので、お**医**者さんにみてもらう。
・先生にたのまれて、プリントを**配**る。
・黒**板**に、チョークで字を書く。

〈ヒント〉
・板　・銀　・配　・服　・医　・息　・暗

82

＊文を読んで、ぴったりの漢字を入れよう。

・大きな白い客船が、**港**にとまっている。
・ぼくの兄は、切手を**集**めている。
・運動会は、五点さで赤組が**勝**った。
・わたしは、ひこうきに**乗**ったことがある。
・今年の夏は、とても**暑**い。
・かみなりが鳴って、とつぜん電気が**消**えた。
・漢字をおぼえるのに、十回**練**習した。

〈ヒント〉
・練　・港　・消　・集　・暑　・勝　・乗

おわりに

「通常の学級でやさしい学び支援」シリーズは、1巻の「わくわくプリント」及び2巻の「すくすくプリント」が「かな文字」の学習を支援するプリント集です。そして2巻の冒頭には「かな文字」の習得状況の実態把握ができる「ひらがな単語聴写テスト」を入れています。

これらを使っていただいた先生方や保護者の方から、様々な感想をいただきました。

「ひらがなの読み書きがスムーズにできるようになった。」

「『きゃ・きゅ・きょ』などの拗音が正しく書けるようになった。」

「日記で書く文章の誤りが減った。」

「『わくわくプリント』や『ひらがな単語聴写テスト』でつまずきのある子どもに気づけ支援につなげられた。」…等々。

一方、1巻の「うきうきプリント」及び2巻の「うきうきプリント2」は「漢字」学習支援のプリントです。

こちらも、

「今までにない漢字プリントで、子どもが喜んで取り組んだ。」

など、好意的な感想も多くいただきましたが、

「毎日使えるぐらいたくさんのプリントがあれば…。」

というご意見もいただきました。

このようなご要望にお応えして、3巻・4巻「読み書きが苦手な子どもへの〈漢字〉支援ワーク」を作りました。3巻は低学年用で、1・2・3年生で習う漢字を、4巻は高学年用で、4・5・6年生で習う漢字を網羅しています。

1・2巻の「うきうきプリント」をベースに、漢字の難しさ、漢字の特徴などを考慮したワーク構成になっています。また、漢字の読み書きの苦手さの背景にある「読みの苦手さ」「書字の苦手さ」「不注意」などの問題に対応した内容にもなっています。

このワークを使って、「漢字って、簡単でおもしろい！」と思える子どもが増えることを願っています。

1巻から続けて監修いただいた竹田契一先生には、長年ご指導・ご教授いただいたことと合わせて感謝の意を表します。

編集にかかわっていただいた明治図書出版の佐藤智恵さん、大変数の多い漢字問題をチェックいただき、また、不慣れな出版の作業に様々なアイデアやコメントをいただいたことで、スムーズに出版できたことを感謝いたします。

3巻の1年生用ワークには娘・美穂のイラストが…。イメージ通りです。

「ありがとう！」

著者　村井敏宏

かん字パーツ　2年生

木	きへん
亻	にんべん
氵	さんずい
言	ごんべん
糸	いとへん
日	ひへん
彳	ぎょうにんべん
禾	のぎへん
女	おんなへん
土	つちへん
王	おうへん
ネ	しめすへん
矢	やへん
弓	ゆみへん
舟	ふねへん
宀	うかんむり
艹	くさかんむり
竹	たけかんむり
雨	あめかんむり
亠	なべぶた
⺌	つかんむり
冖	わかんむり
广	まだれ
厂	がんだれ
辶	しんにょう
士	さむらい
口	くにがまえ
冂	どうがまえ
門	もんがまえ
攵	のぶん
頁	おおがい
灬	れんが
罒	よこめ
隹	ふるとり
斤	おのづくり
八	ひとやね
欠	あくび
夂	ふゆがしら
廾	にじゅうあし

漢字パーツ　3年生

火	ひへん
冫	にすい
扌	てへん
牛	うしへん
馬	うまへん
金	かねへん
彳	ぎょうにんべん
禾	のぎへん
車	くるまへん
食	しょくへん
石	いしへん
ネ	しめすへん
方	かたへん
矢	やへん
戸	とだれ
巾	はばへん
足	あしへん
酉	とり
月	にくづき
穴	あなかんむり
⺍	つめかんむり
癶	はつがしら
疒	やまいだれ
尸	しかばね
广	まだれ
耂	おいかんむり
辶	しんにょう
走	そうにょう
寸	すん
攵	のぶん
刂	りっとう
頁	おおがい
阝	おおざと
隹	ふるとり
斤	おのづくり
欠	あくび
八	ひとやね
匚	はこがまえ
己	おのれ

【監修者】
竹田　契一（たけだ　けいいち）
大阪教育大学名誉教授、大阪医科大学 LD センター顧問、
特別支援教育士資格認定協会理事長、日本 LD 学会副理事長
HP: http://www.schoolweb.ne.jp/weblog/index.php?id=2770001
〈主要著作〉
『インリアル・アプローチ―子どもとの豊かなコミュニケーションを築く―』日本文化科学社、1994年
『実践インリアル・アプローチ事例集―豊かなコミュニケーションのために―』日本文化科学社、2005年
『図説 LD 児の言語・コミュニケーション障害の理解と指導』日本文化科学社、2007年
『高機能広汎性発達障害の教育的支援』明治図書、2008年
『乳・幼児期の気づきから始まる安心支援ガイド　発達障害 CHECK & DO』明治図書、2010年

【著者】
村井　敏宏（むらい　としひろ）
小学校教諭　S.E.N.S（特別支援教育士）スーパーバイザー、言語聴覚士
日本 LD 学会会員、日本 INREAL 研究会事務局
〈著書〉
『通常の学級でやさしい学び支援１　読み書きが苦手な子どもへの〈基礎〉トレーニングワーク』明治図書、2010年
『通常の学級でやさしい学び支援２　読み書きが苦手な子どもへの〈つまずき〉支援ワーク』明治図書、2010年
『特別支援教育の実践情報』2009 8/9－実践「通級による指導」明治図書、2009年
『LD & ADHD』2011年連載－「誤り分析から子どもの読み書きを支援する！」明治図書

【イラスト】　村井美穂，木村美穂

【表紙デザイン】　㈲ケイデザイン

通常の学級でやさしい学び支援３
読み書きが苦手な子どもへの〈漢字〉支援ワーク―１～３年編―

2011年８月初版第１刷刊　監修者　竹田契一
2011年11月２版第１刷刊　©著者　村井敏宏
2025年10月２版第19刷刊　発行者　藤原久雄
発行所　明治図書出版株式会社
http://www.meijitosho.co.jp
（企画・校正）佐藤智恵
〒114-0023　東京都北区滝野川7-46-1
振替00160-5-151318　電話03(5907)6701
ご注文窓口　電話03(5907)6668
＊検印省略　組版所　株式会社明昌堂

Printed in Japan　ISBN978-4-18-089612-7